1975

UNDER THE ADVISORY EDITORSHIP OF

Robert J. Clements

Recueil de petits contes français

Edited by

Harold Wade Streeter

LAFAYETTE COLLEGE

Ginn and Company

Boston   New York   Chicago   Atlanta   Dallas
Palo Alto   Toronto

CONTENTS

		Page
La Maison	André Maurois	3
Un Oubli	Frédéric Boutet	9
La Vocation	Frédéric Boutet	17
Les Drames sans Paroles	Albert Acremant	25
L'Opinion de Prosper Mariolle	Max et Alex Fischer	33
L'Amie	Roger Régis	43
L'Absente	Maurice Level	51
Naissance d'un Maître	André Maurois	59
La Femme de chambre	Henri Duvernois	69
Le Passé	Henri Duvernois	79
L'Oncle d'Amérique	Georges Auriol	89
La Demande	Louis de Robert	97
La Veillée	Jean Tousseul	107
Vengeance	Henri Duvernois	119
L'Évasion	Pierre Mille	131
Vocabulary		145

One of the major problems of the college teacher of French arises late in the second, or early in the third, semester of the traditional three-hour to five-hour basic course. Ever conscious of the limitations of time, the zealous instructor has pressed forward toward his two primary objectives: the acquisition of reading ability and the development of conversational skill. With some trepidation he selects an omnibus volume of choice material from the masters of the nineteenth and twentieth centuries, only to discover that his students are not yet prepared to confront this new vocabulary of 4000 descriptive words. Once again he asks himself the perennial questions. How can he effect a more orderly transition from "elementary" to "intermediate" French? How can he attain his two goals of reading ability and oral expression while acquainting his students with a reasonable amount of "great" literature?

Recueil de petits contes français endeavors to render aid in this distressing situation by making use of the *petit conte,* long neglected by the college teacher, yet admirably suited as a vehicle of instruction, and high in literary merit. As Lytton Strachey has pointed out, the French genius in literature derives from the principle of concentration. But economy, simplicity, and classical restraint are to be found in the *petit conte,* as well as in the masterpieces of Racine. The French literary artist has long enjoyed a well-deserved reputation in the field of the short story. The *petit conte* possesses in miniature those qualities which have brought him this distinction. Thousands of *petits contes* were avidly consumed by readers of French newspapers and periodicals during the years between the two world wars. The American student may well make a fruitful comparison of the popular story, as represented by the *petit conte,* and the "short shorts" which he has discovered in the pages of our own mass-production magazines.

This little text is therefore intended as a prelude to the more ambitious and intensive study of novels, short stories, and plays. Each one of the fifteen stories in this collection, only three of which have hitherto appeared in textbook editions, is of single-assignment length. As a further advantage, the stories are *per se* ideally suited to the development of oral reporting and conversation. There is a maximum of action and dialogue, and a minimum of description, together with a variety of characterizations and themes. Finally, the language of these stories is not difficult, and generous editing obviates the necessity of extensive classroom translation. In addition to copious footnotes, a visible vocabulary, based on the Vander Beke Word List, has been printed at the bottom of every page. However, the editor has exercised discretion in the compilation of these vocabularies, and has not adhered rigidly to the letter of the law. Although nearly all words beyond the 1–1500 frequency range have been included, fifty-four very simple words, to be found in any elementary grammar, have been omitted, even though Vander Beke catalogs them outside the first 1500 words. By the same token, sixty words within the 1–1500 bracket have been retained, since the editor has recognized them as perennial *bêtes noires.*

The emphasis of this little volume is upon *training.* Care has been taken to supply exercises which aim at three objectives: (1) the acquisition of a reading vocabulary, (2) the development of conversational ability, and (3) a review of the basic rules of grammar and composition. The questionnaires not only enable the teacher to determine how carefully the student has prepared his assignment, but also stimulate conversation and discussion. Multiple-choice exercises and other types of drill have been devised to facilitate the acquisition of a passive vocabulary. Teachers who are not in the habit of using a formal review grammar in the intermediate course may avail themselves of some thirty-eight exercises in composition. These consist, on an elementary level, of simple sentences, based on the text, stressing important grammatical constructions and simple idioms of high frequency. On a more advanced level, topics are suggested for compositions and *résumés.* Instructors whose technique requires the submission of numerous *comptes-rendus* in French will prefer to make use of these theme topics, either for prepared written assignments or for impromptu oral summaries in class.

The editor wishes to express his appreciation to Dr. Robert J. Clements for suggesting this brief anthology of the *petit conte*. It is his hope that readers will derive profit and enjoyment from its pages while training themselves for further exploration in the realm of French literature.

H.W.S.

Easton, Pennsylvania

Recueil de petits contes français

ANDRÉ MAUROIS

  No contemporary French writer is better known to the American public than André Maurois, who has made numerous visits to the United States and taught in several American universities. Born in the Norman town of Elbeuf in 1885, André Maurois supervised his family's textile business for ten years, after the conclusion of his studies in Elbeuf, Rouen, and Caen. His service as interpreter and liaison officer in England during World War I led to the publication of *Les Silences du Colonel Bramble* (1918), the immediate success of which inaugurated his literary career. The best-known novels of André Maurois are *Ni Ange ni Bête* (1919), *Bernard Quesnay* (1926), and *Climats* (1928). But it is as a biographer that he has attained his greatest distinction. Together with Lytton Strachey he may be regarded as the founder of the modern "fictionalized" biography. *Ariel, ou la Vie de Shelley* (1923) was his first triumph in this field. In his most recent, and perhaps most impressive studies, utilizing a wealth of documentary material, he has vividly re-created the lives of Marcel Proust and George Sand.

"La Maison" is a ghost story with a difference. "Naissance d'un Maître," already a classic, gently ridicules ultramodern tendencies in art, as well as the gullibility of human beings everywhere. The stories are reproduced here by permission of the author.

2

André Maurois

La Maison

Pour Anne et Julien Green[1]

Il y a deux ans, dit-elle, quand je fus si malade, je remarquai que je faisais[2] toutes les nuits le même rêve. Je me promenais dans la campagne; j'apercevais de loin une maison blanche, basse et longue, qu'entourait un bosquet de tilleuls. A gauche de la maison, un pré bordé de peupliers rompait agréablement 5 la symétrie du décor,[3] et la cime de ces arbres, que l'on voyait de loin, se balançait au-dessus des tilleuls.

Dans mon rêve, j'étais attirée par cette maison et j'allais vers elle. Une barrière peinte en blanc fermait l'entrée. Ensuite on suivait une allée dont la courbe avait beaucoup de grâce. 10 Cette allée était bordée d'arbres sous lesquels je trouvais les fleurs du printemps: des primevères, des pervenches et des

allée f. walk	pervenche f. periwinkle
se balancer to sway	peuplier m. poplar
barrière f. gate	pré m. meadow
bosquet m. grove	primevère f. primrose
cime f. top(s)	tilleul m. linden tree
courbe f. curve	

1. *Pour...Green.* Julien Green, born in Paris, September 6, 1900, of American parents; outstanding French novelist: *Mont-Cinère* (1926), *Adrienne Mesurat* (1927), *Léviathan* (1929). His sister, Anne Green, author of whimsical novels in English, of which *The Selbys* (1930) is probably the best known.
2. had
3. *rompait ... décor* made a pleasing break in the otherwise uniform setting

anémones, qui se fanaient dès que je les cueillais. Quand on débouchait de cette allée, on se trouvait à quelques pas de la maison. Devant celle-ci s'étendait une grande pelouse, tondue comme les gazons anglais[4] et presque nue. Seule y courait une
5 bande de fleurs violettes.[5]

La maison, bâtie de pierres blanches, portait[6] un toit d'ardoises. La porte, une porte de chêne clair[7] aux panneaux sculptés, était au sommet d'un petit perron. Je souhaitais visiter cette maison, mais personne ne répondait à mes appels.
10 J'étais profondément désappointée, je sonnais, je criais, et enfin je me réveillais.

Tel était mon rêve et il se répéta, pendant de longs mois, avec une précision et une fidélité telles que je finis par penser[8] que j'avais certainement, dans mon enfance, vu ce parc et ce
15 château. Pourtant je ne pouvais, à l'état de veille,[9] en retrouver le souvenir,[10] et cette recherche devint pour moi une obsession si forte qu'un été, ayant appris à conduire moi-même une petite voiture, je décidai de passer mes vacances sur les routes de France, à la recherche de la maison de mon rêve.
20 Je ne vous raconterai pas mes voyages. J'explorai la Normandie, la Touraine, le Poitou;[11] je ne trouvai rien et n'en fus pas très surprise. En octobre je rentrai à Paris et, pendant tout

ardoise f. slate	**perron** m. flight of steps
cueillir to pick	**recherche** f. search
déboucher to reach the end	**sculpté** carved
se faner to wither	**sommet** m. top
panneau m. panel	**souhaiter** to long to
pelouse f. lawn	

4. *tondue ... anglais* cut close like English lawns
5. purple
6. had
7. *chêne clair* light oak
8. *finis par penser* finally concluded
9. *à ... veille* during my waking hours
10. *en ... souvenir* recall it to mind
11. *la Normandie, la Touraine, le Poitou* French provinces

l'hiver, continuai à rêver de la maison blanche. Au printemps dernier, je recommençai mes promenades[12] aux environs de Paris. Un jour, comme je traversais une vallée voisine de l'Isle-Adam,[13] je sentis tout d'un coup un choc agréable, cette émotion curieuse que l'on éprouve lorsqu'on reconnaît, après une 5 longue absence, des personnes ou des lieux que l'on a aimés.

Bien que je ne fusse jamais venue dans cette région, je connaissais parfaitement le paysage qui s'étendait à ma droite. Des cimes de peupliers dominaient une masse de tilleuls. A travers[14] le feuillage encore léger de ceux-ci, on devinait une 10 maison. Alors, je sus[15] que j'avais trouvé le château de mes rêves. Je n'ignorais pas[16] que, cent mètres plus loin, un chemin étroit couperait la route. Le chemin était là. Je le pris. Il me conduisit devant une barrière blanche.

De là partait[17] l'allée que j'avais si souvent suivie. Sous les 15 arbres, j'admirai le tapis aux couleurs douces que formaient les pervenches, les primevères et les anémones. Lorsque je débouchai de la voûte[18] des tilleuls, je vis la pelouse verte et le petit perron, au sommet duquel était la porte de chêne clair. Je sortis de ma voiture, montai rapidement les marches et 20 sonnai.

J'avais grand'peur que personne ne repondît, mais, presque tout de suite, un domestique parut. C'était un homme au visage triste, fort vieux et vêtu d'un veston noir. En me voyant, il parut très surpris, et me regarda avec attention, sans parler. 25
—Je vais, lui dis-je, vous demander une faveur un peu étrange.

choc m. surprise		fort adv. very	
éprouver to experience		paysage m. landscape	
feuillage m. foliage		veston m. jacket	

12. drives
13. small town about twenty miles north of Paris
14. *A travers* Through
15. realized
16. *Je n'ignorais pas* I knew
17. *De là partait* There began
18. *débouchai ... voûte* emerged from under the canopy

Je ne connais pas les propriétaires de cette maison, mais je serais heureuse s'ils pouvaient m'autoriser à la visiter.

—Le château est à louer,[19] Madame, dit-il comme à regret,[20] et je suis ici pour le faire visiter.[21]

5 —A louer? dis-je. Quelle chance[22] inespérée!... Comment[23] les propriétaires eux-mêmes n'habitent-ils pas une maison si belle?

—Les propriétaires l'habitaient, Madame. Ils l'ont quittée depuis que la maison est hantée.

10 —Hantée? dis-je. Voilà qui[24] ne m'arrêtera guère. Je ne savais pas que, dans les provinces françaises, on croyait encore aux revenants...

—Je n'y croirais pas, Madame, dit-il sérieusement, si je n'avais moi-même si souvent rencontré dans le parc, la nuit, le fantôme
15 qui a mis mes maîtres en fuite.

—Quelle histoire! dis-je en essayant de sourire.

—Une histoire, dit le vieillard d'un air de reproche, dont vous au moins, Madame, ne devriez pas rire, puisque ce fantôme, c'était vous.

autoriser to permit	**inespéré** unhoped-for
fantôme m. specter	**propriétaire** m. owner
hanté haunted	**revenant** m. ghost

19. *à louer* for rent
20. *comme à regret* as though reluctant to announce the fact
21. *le faire visiter* show visitors around
22. good fortune
23. How does it happen that
24. *Voilà qui* That [emphatic]

EXERCICES

I. Répondez aux questions suivantes:

1. Décrivez la maison blanche.
2. Qu'est-ce qu'on voyait à gauche de la maison?

3. Qu'est-ce qui fermait l'entrée de la propriété?
4. Décrivez la pelouse qui s'étendait devant la maison.
5. Comment notre héroïne passait-elle les vacances après sa maladie?
6. Quelles provinces françaises a-t-elle visitées?
7. Dans quelle partie de la France se trouvent ces trois provinces?
8. Nommez d'autres provinces françaises.
9. Où est-ce que la dame a enfin trouvé la maison de ses rêves?
10. Décrivez le domestique qui a paru à la porte.
11. Quelle faveur la dame lui a-t-elle demandée?
12. Pourquoi les propriétaires n'habitaient-ils plus le château?
13. Pourquoi est-ce que le domestique croyait aux revenants?
14. Croyez-vous qu'on puisse avoir le même rêve pendant de longs mois?
15. Comment expliquez-vous l'apparition de la dame dans le parc pendant la nuit?

II. Complétez les phrases, en vous servant des verbes suivants:

| attirer | cueillir | éprouver | ignorer | reconnaître |
| conduire | deviner | s'étendre | louer | sonner |

1. Dans ses rêves la dame était _____ par une maison blanche.
2. Une pelouse verte _____ devant cette maison de campagne.
3. On _____ une maison à travers le feuillage des peupliers.
4. Pendant ses vacances elle a appris à _____ une petite automobile.
5. Elle a _____ la maison de ses rêves dans une vallée voisine de l'Isle-Adam.
6. Elle a _____ une émotion curieuse en regardant cette maison.
7. Elle a suivi l'allée étroite sans _____ les fleurs du printemps.
8. Elle était surprise qu'une si belle maison soit à _____.
9. Elle _____ que les propriétaires avaient quitté le château hanté.
10. Elle a monté rapidement les marches et elle a _____.

III. Faites une phrase avec chacune des expressions suivantes: à travers, au-dessus de, de loin, dès que, tel.

FRÉDÉRIC BOUTET

Frédéric Boutet was born in Bourges in 1874 and died in Montfort-L'Amaury in 1941. Most of his life, however, was spent in Paris, to which he moved at an early age and where his first attempts at writing were encouraged by such celebrities as Maurice Barrès, Henri de Régnier, and Georges Courteline. Boutet contributed to *Le Français, L'Écho de Paris, Le Petit Journal, Le Journal, Candide,* and other periodicals. Without any pretensions to literary greatness, he became a prolific writer of novels and short stories. One critic has referred to him as the "king of raconteurs." Boutet excelled in providing ample background material within the limitations of the *petit conte.* Many of his dramatic stories are novels in miniature.

"Un Oubli" and "La Vocation" have been selected as examples of Boutet's craftsmanship and style. It will be seen that he relies mainly on pathos and irony, sometimes adroitly blended, to obtain his effects. "Un Oubli" instantly reminds us of Maupassant's celebrated "Les Bijoux," while "La Vocation," despite its *sensiblerie,* depicts a perennial parent-son relationship. The stories are reproduced by permission of Librairie Ernest Flammarion.

Frédéric Boutet

Un Oubli

Après le déjeuner, M. Vadège constata qu'il avait quarante minutes avant de retourner à son bureau, et il se versa avec attention sa camomille.[1]

Mme Vadège était assise de l'autre côté de la table et elle était si jolie, si fraîche et si gracieuse qu'autour d'elle le décor de la 5 petite salle à manger paraissait plus banal et plus mesquin encore.

M. Vadège leva les yeux sur elle et sourit du seul plaisir[2] de la voir. Comme chaque jour, il lui demanda ce qu'elle ferait l'après-midi, et elle le lui dit en détail. Il l'écoutait ravi.[3] 10 Depuis six ans qu'elle était sa femme, il n'avait pas encore pu s'habituer à son bonheur, et il n'avait pas encore pu comprendre comment Marcelle avait bien voulu l'épouser, lui qui n'était ni beau, ni jeune, ni riche et qui n'avait aucune chance[4] d'être jamais autre chose qu'un fonctionnaire modeste. Comme elle 15 était dévouée, intelligente, adroite et active! Malgré leurs

adroit clever
avec attention carefully
banal commonplace
constater to note
décor m. setting
dévoué devoted
fonctionnaire m. government office worker
gracieux graceful
mesquin shabby
oubli m. oversight
vouloir bien to be willing

1. camomile tea (a bitter medicinal drink, used as an aid to digestion)
2. *du seul plaisir* from the sheer pleasure
3. with delight
4. prospect

modestes ressources, elle était toujours élégante,[5] avec des parures qui semblaient chères et ne l'étaient pas, des robes neuves qui étaient de vieilles robes si bien transformées qu'il ne les reconnaissait jamais.   Il avait retrouvé auprès d'elle[6] une
5 sentimentalité d'adolescent.   Pendant les heures de son travail, la pensée de Marcelle ne le quittait pas.   Il l'imaginait dans leur intérieur,[7] ou bien en courses par les rues,[8] traversant Paris pour acheter à meilleur marché dans tel[9] magasin qu'elle connaissait... Elle était si économe et si sérieuse!...
10 Soudain, M. Vadège tressaillit si violemment que son lorgnon tomba.

—Marcelle, c'est aujourd'hui samedi! s'écria-t-il d'une voix étranglée.

—Oui. Eh bien? dit-elle étonnée.

15 —Le dîner de la cousine Armande...hier, vendredi!

—Nous l'avons oublié! cria Marcelle en se dressant bouleversée.

C'était une catastrophe.   La cousine Armande, dont ils étaient les seuls parents, était une vieille personne très riche, très fan-
20 tasque et très susceptible.   Elle avait coutume, selon qu'elle était bien ou mal[10] avec les Vadège, de leur promettre son héritage, ou de leur jurer qu'ils n'auraient jamais un sou d'elle. Les Vadège, malgré tout leur zèle, n'avaient jamais su au juste[11]

---

bouleversé dismayed
se dresser to straighten up
fantasque capricious
héritage m. inheritance
lorgnon m. eyeglasses

parures f. pl. jewels
retrouver to regain
susceptible touchy
tressaillir to shudder

---

5. well-dressed
6. *auprès d'elle* by living with her
7. home
8. *ou...rues* or else running about the streets shopping
9. such and such a
10. *était...mal* was on good or bad terms
11. *au juste* exactly

ce qu'il fallait faire pour être bien[12] avec la cousine Armande;
par contre, ils savaient à merveille[13] que la moindre négligence,
le plus léger manque d'égards[14] les fâchait avec elle[15] pour des
mois et risquait de les frustrer de cette fortune qui était le seul
espoir de leur médiocrité.   5

Justement,[16] après une brouille prolongée, ils venaient de
l'apaiser et elle les avait invités à dîner, faveur rare!... Et
ce dîner, ils l'avaient oublié! Ils l'avaient oublié sans raison,
stupidement. Ils n'y avaient plus pensé, voilà![17] C'était
fou!   10

Ils s'imaginaient la cousine Armande chez elle, la veille au
soir,[18] les attendant, s'irritant, plus furieuse à toutes les minutes,[19] regrettant ses préparatifs, car elle se piquait de bien
recevoir[20] et se plaisait à les éblouir malgré[21] qu'elle fût avare.
Jamais elle ne leur pardonnerait un tel affront...   15

Atterrés, ils se regardaient et, soudain, Marcelle éclata en
reproches violents. C'était de[22] la faute de son mari! Il ne
pensait jamais à rien! Qu'avait-il dans l'esprit? Elle se le
demandait.[23] Ce n'était pas cependant sa besogne de scribe[24]

apaiser to appease	**frustrer de** to cheat out of
atterré horror-stricken	**s'irriter** to grow angry
avare miserly	**médiocrité** f. mean existence
brouille f. falling out	**se piquer de** to pride oneself on
éblouir to dazzle	**se plaire à** to delight in

12. on good terms
13. *à merveille* only too well
14. *manque d'égards* lack of attention
15. *les...elle* caused her to be angry with them
16. At this very time
17. that's all
18. *la...soir* the previous evening
19. *à...minutes* with each passing minute
20. *bien recevoir* entertaining well
21. in spite of the fact
22. Omit in translating
23. *Elle...demandait* She would like to know
24. *Ce...scribe* It certainly wasn't his pitifully unimportant job as a tran-
    scriber

qui pouvait le préoccuper… Par sa faute, ils perdaient leur seul espoir d'avenir!…

Elle s'animait, l'injuriait, se lançait dans une scène comme elle lui en avait déjà fait quelques-unes,[25] bien qu'elle fût en général d'humeur égale.[26] Lui, la tête basse, très malheureux, ne répondait pas. Elle avait raison; il avait tous les torts;[27] il eût seulement voulu qu'elle criât moins fort.[28]

Brusquement, elle s'arrêta. Elle regardait dans la rue à travers la fenêtre.

10 —La voilà! s'exclama-t-elle. La cousine Armande! Elle vient ici! Je l'ai vue traverser!

—Mon Dieu! qu'est-ce qu'on va lui dire? gémit Vadège.

—Laisse-moi faire, ordonna Marcelle éclairée[29] par une idée subite. Viens par ici! Elle le poussa dans la chambre à 15 coucher.

—Ote ta jaquette! Ote ton faux col! Dépêche-toi donc! Mets ce foulard, couche-toi sur le canapé…

Elle étendit sur lui un couvre-pied, plaça un oreiller sous sa tête, posa sur une table, au chevet du canapé, deux vieilles fioles 20 de potion[30] et la tasse de camomille. Puis, en un instant, elle eut ôté sa robe, passé un peignoir, défait[31] ses cheveux.

s'animer to become excited	gémir to groan
avenir m. future	injurier to insult
canapé m. couch	jaquette f. coat
chevet m. head	oreiller m. pillow
couvre-pied m. coverlet	passer to put on
faux col m. collar	peignoir m. housecoat
foulard m. silk scarf	subit sudden

25. *se … quelques-unes* rushed into a scene not unlike others she had started before
26. *d'humeur égale* even-tempered
27. *il … torts* the fault was all his
28. *il … fort* if only she wouldn't shout so
29. inspired
30. *fioles de potion* medicine bottles
31. taken down

—Tu comprends, tu as été très malade hier, souffla-t-elle à son mari. Heureusement, tu as mauvaise mine ces jours-ci...[32]

On sonnait, elle alla ouvrir.

—Chut!... Ma cousine, je vous en supplie, ne faites pas de bruit... Il a été bien mal, mais il repose... dit-elle à la cousine 5 Armande, qui arrivait avide de vengeance et qui, ahurie, demanda des explications.

Elle les eut longues et pathétiques. Vadège, la veille, avait failli mourir.[33] Le médecin était venu. Marcelle pleura. Quelle peur elle avait eue!... Après quelques minutes, les deux 10 femmes, à pas furtifs, entrèrent dans la chambre à coucher. La cousine Armande s'approcha du canapé; son visage, habituellement revêche, exprimait la compassion.

—Eh bien! mon cousin, voyons,[34] ça ne va donc pas?

Vadège eut un vague grognement. Il avait si peur de la 15 maladie que le rôle qu'il jouait l'inquiétait malgré tout.

—Ça va un peu mieux, intervint Marcelle, mais il doit prendre des précautions... Il se tue de travail...

—Il faut qu'il se soigne, dit la vieille dame, émue. Voyons, vous savez que je vous aime bien, tous les deux. Il faudra 20 venir chez moi, à la campagne, cet été... Plus tard, ce sera chez vous,[35] vous savez. Allons,[36] je ne veux pas fatiguer le malade. Je m'en vais...

—Et vous ne m'en voulez pas pour hier soir, ma cousine?

ahuri dumfounded	**furtif** stealthy
avide eager	**grognement** m. groan
chut sssh	**intervenir** to interpose
en vouloir à to be angry with	**revêche** cross

32. *tu...jours-ci* you've been looking poorly of late
33. *avait failli mourir* had almost died
34. *Eh...voyons* Well now, cousin
35. *ce...vous* it will be your own home
36. Come now

demanda Marcelle en la reconduisant.[37] J'ai tout oublié. J'étais folle d'inquiétude…

—Mais non, mais non, je ne t'en veux pas, ma pauvre petite, dit la cousine Armande.

Elle s'en alla et, quand la porte se fut refermée sur elle, Marcelle revint dans la chambre à coucher et se mit à rire.

—Ça y est,[38] dit-elle. Eh bien! je crois que tu peux me féliciter!…

—Sans doute, sans doute, répondit Vadège.

Mais lui ne riait pas. Assis sur le divan, en manches de chemise, son cou maigre à nu, ses mèches rares et longues[39] dans les yeux, il réfléchissait, perplexe et soupçonneux.

—Comme elle sait bien mentir…se disait-il avec angoisse.[40]

à nu showing	**mentir** to lie
manche f. sleeve	**soupçonneux** suspicious

37. *en la reconduisant* as she showed her out
38. *Ça y est* It worked!
39. *mèches…longues* sparse, stringy locks
40. *avec angoisse* in deep distress

EXERCICES

I. Répondez aux questions suivantes:

1. Depuis quand les Vadège étaient-ils mariés?
2. Qu'est-ce que M. Vadège demandait toujours à sa femme pendant le déjeuner?
3. Comment M. Vadège gagnait-il la vie?
4. Pourquoi pensait-il toujours à Marcelle pendant la journée?
5. Que savez-vous de la cousine Armande?
6. Qu'est-ce que les Vadège avaient tout à fait oublié?
7. Décrivez la scène que Marcelle a faite à son mari?
8. Comment Vadège répondait-il toujours aux reproches de sa femme?
9. Pourquoi Marcelle s'est-elle exclamée en regardant par la fenêtre?

10. Quelles instructions a-t-elle données tout de suite à Vadège?
11. Comment Marcelle a-t-elle transformé son mari en malade?
12. Quelle explication a-t-elle donnée à la cousine Armande?
13. Quelle invitation la cousine Armande a-t-elle faite avant de partir?
14. Pourquoi Vadège était-il très perplexe après le départ de la visiteuse?
15. Comment Marcelle était-elle toujours élégante? Pensez-vous que les belles parures étaient vraiment de vieilles robes transformées?

II. Choisissez l'expression anglaise qui convient:

entourer. 1. attract 2. surround 3. wrap 4. travel 5. enclose
raconter. 1. meet 2. count again 3. relate 4. approach 5. search
verser. 1. drink 2. sip 3. quote 4. pour 5. varnish
tressaillir. 1. thresh 2. tremble 3. treasure 4. insult 5. moan
étonner. 1. intone 2. extend 3. appease 4. lie 5. astonish
éblouir. 1. dazzle 2. pile 3. experience 4. blow 5. deceive
éclater. 1. clatter 2. throw 3. burst 4. climb 5. defraud
injurier. 1. injure 2. swear 3. insult 4. enclose 5. inject
pousser. 1. purpose 2. push 3. dust 4. swear 5. hand out
ôter. 1. dare 2. entertain 3. despoil 4. remove 5. halt
soigner. 1. dream 2. sing 3. summon 4. reward 5. care for
allée. 1. alley 2. walk 3. lawn 4. slate 5. ally
toit. 1. roof 2. wrong 3. tour 4. cloth 5. path
paysage. 1. peasant 2. region 3. citizen 4. landscape 5. farmer
bonheur. 1. happiness 2. kindness 3. maid 4. early arrival 5. welcome
veille. 1. old woman 2. veil 3. day before 4. velvet 5. candle
avenir. 1. avenue 2. path 3. gravel walk 4. adventure 5. future
besogne. 1. need 2. mare 3. chore 4. scarf 5. groan
oreiller. 1. mumps 2. ear 3. grove 4. pillow 5. oversight
manche. 1. muff 2. channel 3. sleeve 4. march 5. market

III. Traduisez les phrases suivantes:

1. Elle s'animait, l'injuriait, se lançait dans une scène.
2. Justement, après une brouille prolongée, ils venaient de l'apaiser.
3. Elle se piquait de bien recevoir et se plaisait à les éblouir malgré qu'elle fût avare.
4. Atterrés, ils se regardaient et, soudain, Marcelle éclata en reproches violents.

5. Puis, en un instant, elle eut ôté sa robe, passé un peignoir, défait ses cheveux.

6. Assis sur le divan, en manches de chemise, son cou maigre à nu, ses mèches rares et longues dans les yeux, il réfléchissait, perplexe et soupçonneux.

IV. Faites une phrase avec chacune des expressions suivantes: à meilleur marché, avoir mauvaise mine, se mettre à, faillir + *present infinitive,* en vouloir à.

Frédéric Boutet

La Vocation

Vers la fin de l'après-midi, le père Goulard, après son habitu-
elle tournée à travers ses champs et ses prés, revint à la ferme.
Dans la vaste cuisine, étincelante de propreté,[1] à un coin de
la longue table, sa femme était assise, faisant des comptes.[2]
Comme Goulard entrait, une servante qui mettait le couvert   5
laissa tomber une assiette.

Au bruit, Mme Goulard se retourna.

—Voyons, Céline, faites donc moins de train. M. Jean travaille à côté.

Aux derniers mots il y avait eu de l'emphase[3] dans sa voix,   10
comme chaque fois qu'elle parlait de son fils. Elle ajouta:

—Allez dans la cour donner à manger aux bêtes, vous finirez
le couvert après.

—Alors, il travaille? Il est toujours dans ses livres? demanda
Goulard à demi-voix avec une intonation respectueuse.   15

—Tu sais bien qu'il n'aime que ça, dit la mère.

L'homme secoua gravement la tête.

—Oui, on a de la satisfaction. On ne regrette pas ce qu'on

à côté in the next room	**secouer** to shake
pré m. meadow	**tournée** f. rounds
se retourner to turn around	**train** m. noise

1. *étincelante de propreté* sparkling clean
2. *faisant des comptes* working on some accounts
3. *de l'emphase* a pompous tone

a fait… Il travaille à force. On peut le dire: il a du courage…
Même pendant ses vacances rester enfermé toute la sainte
journée…

—Il n'aime que ses livres, répéta la mère.

5 —Il n'aura pas les mains noires de terre, il ne s'échinera pas
du matin au soir en plein soleil[4] ou sous la pluie…

—Il ne sera pas comme nous, ça vaut bien tous les sacrifices
qu'on a faits…

—Au bourg où je suis passé ce tantôt,[5] reprit Goulard, le
10 maire m'a parlé de lui. Il m'a dit que ça devait nous coûter
bon,[6] son éducation, et il m'a demandé ce que nous voulions
faire de lui. J'ai dit: «Ça coûte ce que ça coûte: c'est pas la question… Et quant à sa carrière, il choisira… Il est libre. Je sais
qu'il nous fera honneur, voilà tout…»

15 Tous deux échangèrent un regard d'orgueil. Ils restèrent un
moment silencieux, rêvant au brillant avenir de leur fils, et
plus ils l'imaginaient différent de ce qu'ils étaient eux-mêmes,
plus ils éprouvaient de joie vaniteuse.

—Je me demande ce que j'aimerais mieux qu'il soit, mur-
20 mura la mère… Enfin, d'abord, il doit se faire recevoir à ce
baccalauréat,[7] puisqu'on l'a refusé en juillet par injustice…
Tiens, mais ça me fait penser que j'ai reçu une lettre de Paris.
C'est le cousin Armand qui m'écrit que Jean doit retourner là-bas
la semaine prochaine, pour qu'il lui fasse suivre des cours…[8]

à force hard		**éprouver** to feel
avenir m. future		**orgueil** m. pride
bourg m. town		**saint** blessed
se demander to wonder		**vaniteux** vain
s'échiner to wear oneself out		

4. *en plein soleil* in the blazing sun
5. *ce tantôt* just now
6. a lot
7. *se … baccalauréat* pass his exams for that bachelor's degree (The French
   student receives the *baccalauréat* at the age of seventeen, after eleven years
   in secondary schools.)
8. *fasse … cours* start him on some courses

—Tu lui as dit ça, à Jean?

—Non. Je n'ai pas voulu le déranger. On va lui dire maintenant. Du reste, il a assez travaillé, voilà la nuit qui tombe.

Ils se dirigèrent vers le fond de la salle et montèrent quelques
marches. La mère ouvrit une porte et entra, suivie du père. 5

A une table, devant une fenêtre ouverte, un garçon en veste
de flanelle était assis, la tête entre ses poings et un livre sous les
yeux.

—Tu travailles encore, mon Jean? dit Mme Goulard.

Il se dressa. C'était un fort garçon qui semblait au moins 10
dix-sept ans. Une barbe naissante frisottait sur ses joues,⁹ et ses
cheveux drus coiffaient comme d'une calotte blonde sa tête
ronde. Debout, il chancela comme étourdi et ouvrit sur ses
parents de gros yeux troubles.

—Oui, je travaille…balbutia-t-il. 15

—Eh bien! il y en a assez pour aujourd'hui et pour ces jours-
ci, mon gars, dit le père Goulard. Donne-toi un peu de répit,¹⁰
tu l'as bien gagné… Et comme, la semaine prochaine, tu vas
retourner à Paris…

—Oui, le cousin Armand a écrit, intervint la mère. 20

Jean tressaillit; ses joues rouges devinrent pâles. Et soudain,
d'une voix rauque:

—Je ne veux pas!

Les parents, surpris, le regardaient.

—Tu ne veux pas…quoi? 25

balbutier to stammer	**fond** m. back
calotte f. skull cap	**marche** f. step
chanceler to stagger	**poing** m. fist
coiffer to cover	**rauque** hoarse
se dresser to straighten up	**tressaillir** to tremble
dru thick	**trouble** bleary
du reste besides	**veste** f. jacket
étourdi dazed	

9. *Une…joues* A downy beard adorned his cheeks
10. *peu de répit* breather

Il fit deux pas vers eux, les mains serrées et les lèvres tremblantes.

—Je ne veux pas m'en aller! Je veux rester ici! Je ne veux plus étudier! Je ne veux plus! Je ne peux plus! Je ne comprends pas la moitié des choses! J'apprends par cœur et j'oublie! C'est trop difficile pour moi, je n'y arrive pas![11] Je travaille tout le temps, tout le temps, et ça ne sert à rien. Depuis six ans que vous m'avez envoyé au lycée[12] c'est comme ça! On me dit que j'ai une tête de bois et on a raison et j'ai toujours de mauvaises notes. Le cousin Armand ne vous dit rien parce que vous lui donnez de l'argent pour être mon correspondant,[13] et moi je ne vous dis rien non plus pour ne pas vous faire de la peine... Mais maintenant c'est cet examen, et puis une autre année à recommencer, et puis d'autres études. Ça n'est plus possible! Je veux rester ici, chez nous, comme vous!

Il avait parlé en phrases entrecoupées et haletantes, avec parfois des intonations d'homme indigné,[14] parfois des intonations plaintives d'enfant qui va pleurer. Et brusquement il se mit à sangloter. Ses parents, sans nettement comprendre ce qui arrivait, étaient plongés dans une stupeur que Mme Goulard secoua la première.

—C'est la fatigue qui lui tourne la tête, déclara-t-elle. Jean, mon Jean, voyons, calme-toi, reviens à toi... Pense à ton avenir. Tu vas passer[15] ton examen. Tu te choisiras une carrière. Tu

entrecoupé broken	**note** f. grade
faire de la peine à to distress	**sangloter** to sob
haletant gasping	**serré** clenched
nettement clearly	

11. *Je...pas* I'm not getting anywhere
12. A state-supported secondary school, resembling the American junior college; it prepares students for the *baccalauréat*.
13. adviser. (A *correspondant* is a person who looks out for the welfare of a boy attending school away from home.)
14. *des...indigné* the indignant tone of a grown man
15. to take

seras étudiant. Tu auras des succès... Tu réussiras... Nous serons si fiers de toi!

—Je ne réussirai jamais! cria-t-il à travers ses larmes. Je ne peux pas réussir et je ne veux pas réussir. Tout ça, ça m'embête. C'est pas fait pour moi! Je veux rester ici et travailler 5 comme vous. Il n'y a que les choses d'ici qui m'intéressent!

—C'est donc ça[16] que l'autre jour, à dîner chez M. Tillois, il ne s'est occupé que du prix des bœufs et des cochons, au lieu de parler de son lycée et de ses camarades, comme j'aurais voulu, murmura le père Goulard. 10

—C'est pas de ma faute! Je n'aime que ça, la terre, et la culture, et le bétail... Ça me fait de la peine à cause de la peine que ça vous fait, mais tu te rappelles bien, papa, quand j'étais petit, tu n'étais pas d'avis,[17] toi, de me mettre au collège! Il a fallu que maman insiste... Je sais bien que c'était pour mon 15 bien, mais ça n'a pas réussi. C'est pas de ma faute, je vous assure... Mais je veux vivre ici! Si vous saviez comment il vit, à Paris, le cousin Armand! Au cinquième,[18] sans meubles, sur une cour sale, et ses créanciers viennent faire du train, et toute la journée il est à galoper[19] pour trouver de quoi 20 manger!... Je ne dis pas que je deviendrai comme lui, mais je veux rester ici!... Je veux rester ici!...

Il se laissa tomber sur la chaise, près de la table, et enfouit sa tête dans ses bras. Des sanglots secouaient ses grosses épaules. Ses parents le regardaient, se regardaient, atterrés et confondus, 25

atterré frightened	**culture** f. cultivation
bétail m. cattle	**embêter** to bore
bien m. good	**enfouir** to bury
cochon m. pig	**faire du train** to raise a fuss
confondu disconcerted	**fier** proud
créancier m. creditor	**larme** f. tear

16. *ça: à cause de cela*
17. *tu...avis* you didn't want
18. *au cinquième* on the sixth floor
19. *est à galoper* is running around

concevant à peine encore l'écroulement de leurs rêves d'orgueil.

—Mon Dieu! Mon Dieu! gémit la mère, c'était bien la peine de se saigner aux quatre veines[20] pour le rendre heureux.

—Voyons, voyons, il y a peut-être quelque chose là-dessous, faut[21] savoir, dit pour lui-même le père Goulard.

Il se pencha vers son fils, lui mit la main sur l'épaule et à voix basse:

—Voyons, mon garçon, c'est bien la vérité que tu nous dis? Ça ne serait pas parce que tu aurais le cœur pris que tu voudrais rester ici?... Dame![22] Il y a des fillettes qui sont gentilles... C'est peut-être bien pour les yeux bleus de ta cousine Claire, ou pour la petite Madeleine avec qui tu t'es promené l'autre dimanche... Hein! j'ai touché juste, tu es amoureux?...

Jean leva la tête de ses bras. Il était un peu apaisé. Il regarda en face le père Goulard et lui répondit simplement:

—Non, père. C'est ça que j'aime!...

Et, d'un geste, il montrait, à travers la fenêtre ouverte, les prés, les champs, les bois, s'endormant sous le ciel obscurci où tremblaient les premières étoiles.

apaisé calmed	**gémir** to moan
avoir le cœur pris to be in love	**obscurci** darkened
écroulement m. collapse	**toucher juste** to strike it right

20. *se...veines* make every sacrifice (literally, "bleed ourselves from the four veins")
21. *faut: il faut*
22. Why, of course!

EXERCICES

I. Répondez aux questions suivantes:

1. Comment le père Goulard a-t-il passé l'après-midi?
2. Que faisaient sa femme et la servante quand Goulard est entré?
3. Pourquoi est-ce que Mme Goulard a demandé à la servante d'aller dans la cour?
4. Pourquoi les Goulard étaient-ils contents de leur fils?

5. Résumez la conversation du père Goulard avec le maire.
6. Que faisait Jean, quand les Goulard sont entrés dans sa chambre?
7. Pourquoi est-ce que Jean ne voulait pas retourner au lycée?
8. De quoi s'est-il occupé pendant le dîner chez M. Tillois?
9. Quelle sorte de vie le cousin Armand menait-il à Paris?
10. De quoi Jean était-il vraiment amoureux?
11. Pourquoi est-ce que les Goulard aimaient imaginer leur fils différent de ce qu'ils étaient eux-mêmes?
12. Quelle leçon peut-on tirer de l'histoire *La Vocation?*

II. Traduisez les phrases suivantes:

1. Poor John is a robust young fellow, who seems to be about seventeen years old.
2. He has been studying in a junior college in Paris for six years.
3. Next week he will have to go back there in order to take some courses.
4. But he does not like his studies, and he always receives poor grades.
5. He has said nothing to his parents, because he doesn't want to hurt their feelings.

III. Complétez les phrases, en vous servant des verbes suivants:

ajouter	se demander	enfouir	se pencher	secouer
chanceler	déranger	gémir	sangloter	tressaillir

1. Le père a _____ gravement la tête avec grande satisfaction.
2. Debout, Jean a _____ comme étourdi, en regardant ses parents.
3. Elle a _____: «Tu sais bien qu'il n'aime que ça.»
4. La mère Goulard a essayé de consoler Jean en _____ vers lui.
5. Jean a _____. Soudain il a crié: «Je ne veux pas m'en aller.»
6. Brusquement il s'est mis à _____ comme un petit enfant.
7. Assis devant la table il a _____ sa tête dans ses bras.
8. «Mon Dieu!» _____ la mère. «Ça ne vaut pas la peine.»
9. Céline aurait pu _____ Jean en laissant tomber une assiette.
10. Ils _____ si leur fils deviendrait médecin ou avocat.

IV. Faites une phrase avec chacune des expressions suivantes: à peine, mettre le couvert, non plus, passer un examen, quant à.

ALBERT ACREMANT

Born in Arras (Pas-de-Calais) on February 3, 1884, Albert Acremant obtained a doctorate in law at the University of Paris, publishing his thesis, *La Procédure dans les arbitrages internationaux,* in 1905. During the First World War he served as a reserve officer and was seriously wounded while leading his company in action. Acremant began his journalistic career as the literary editor of *Excelsior,* and subsequently obtained recognition as a poet, dramatist, and *petit conteur.* A collection of verse, *Vers de couleurs,* was "crowned" by the French Academy. Among his successful plays were several which had been adapted from the popular novels of his wife, Germaine Poulain Acremant: *Ces Dames aux chapeaux verts* (1922), *Gai! Marions-nous!* (1932), and *Une Petite qui voit grand* (1933). Acremant's short stories were published in all the principal newspapers of Paris.

In "Les Drames sans Paroles," a one-act play in story form, Acremant combines his talents as dramatist and *petit conteur.* Permission to publish the story has been secured through M. G. de la Chapelle, Société des Gens de Lettres, New York.

Albert Acremant

Les Drames
sans Paroles

Il n'y avait pas de foyer plus calme que le leur. Dans l'appartement qu'ils habitaient, à[1] la disposition des meubles, à[1] l'ordonnance toujours parfaite des bibelots, on reconnaissait la régularité de leur vie.

Ils étaient mariés depuis plus de vingt ans et paraissaient 5 heureux. Non pas d'une façon éclatante! Ils avaient une horreur instinctive pour le bruit. Mais d'une manière sérieuse!

Ils savaient, sans une rancune déguisée, se faire les petites concessions indispensables dans une existence commune.[2] Quand ils se consultaient, c'était avec des prévenances.[3] Et 10 quand ils discutaient, c'était d'une voix toujours égale.

A la vérité, ils étaient très timides l'un et l'autre.[4]

---

bibelot m.   table, or mantel, ornament

éclatant   ostentatious

foyer m.   home

ordonnance f.   order

rancune f.   ill feeling

---

1. from
2. shared together
3. *Quand ... prévenances*   When they approached each other, they did so tactfully
4. *l'un et l'autre*   both

Lui était romancier. Son nom, Lucien Richez, n'avait pourtant jamais été au delà d'une certaine notoriété. Mais cela lui suffisait. Pour que la fortune lui vînt,[5] avec la gloire des gros tirages, il aurait fallu qu'il fréquentât des salons,[6] qu'il se montrât dans des cérémonies; il s'y était toujours refusé. Modestie extrême! disaient ses amis. En réalité: manque d'audace!

Quand il rentrait, il embrassait sa femme au front et lui disait une phrase qui ne changeait guère:

«J'espère que tu ne t'es pas trop ennuyée sans moi, ma chérie?...»

Ce qui lui valait à peu près toujours[7] la même réponse:

«Non. Il y a tellement de travail à faire dans un appartement. Mais je suis tout de même contente de te voir rentrer...»

Mme Richez participait d'ailleurs aux ouvrages de son mari, mais dans une mesure bien discrète.[8] C'était à elle qu'incombait le soin[9] de dactylographier les contes que celui-ci publiait périodiquement dans le *Grand Journal*. Elle les recopiait, les mettait sous enveloppe[10] et les expédiait; cette humble besogne suffisant pour qu'elle se crût collaboratrice.

Elle était loin de se douter, hélas! du drame qui la menaçait.[11]

Comment, à cinquante ans, un homme comme Lucien Richez

audace f. courage	**notoriété** f. general recognition
cérémonie f. public occasion	**recopier** to copy
dactylographier to type	**romancier** m. novelist
se douter to suspect	**tellement de** so much
s'ennuyer to be bored	**tirage** m. printing
expédier to mail	

5. *Pour...vînt* In order to be really successful
6. *fréquentât des salons* attend receptions and teas
7. *Ce...toujours* A question which almost always elicited
8. *dans...discrète* to a very limited extent
9. *C'était...soin* To her fell the task
10. *les...enveloppe* addressed them
11. *drame...menaçait* trouble which was in store for her

pouvait-il se laisser tourner la tête[12] par une femme divorcée qu'il connaissait à peine? C'est cela cependant qui se produisait.

Cette femme divorcée s'appelait Hortensia Balexka. Jolie, avec un aplomb d'aventurière, elle en imposait au romancier, 5 qui, près d'elle,[13] calculait quelle carrière aurait été la sienne s'il avait été aidé par une telle compagne.

Précisément parce qu'il était timide, elle le menait à sa guise. Comme elle lui aurait demandé un bijou de fantaisie, elle lui demanda un jour de l'épouser. Il fallait au préalable qu'il 10 divorçât.[14] Bah! Ce devait[15] être besogne facile. Après exactement vingt-trois ans de mariage, sa femme ne devait[16] plus l'aimer. Ils vivaient ensemble par habitude plus que par sentiment. La séparation pourrait se faire sans chagrin.

Hortensia Balexka parlait d'une voix chaude,[17] sur[18] un ton 15 aisément dominateur. Elle avait totalement convaincu Lucien Richez qui, en rentrant chez lui, n'en embrassa pas moins sa femme au front en lui disant:

«J'espère que tu ne t'es pas trop ennuyée sans moi, ma chérie?

—Non. Il y a tellement de travail à faire dans un apparte- 20 ment. Mais je suis tout de même contente de te voir rentrer…»

Pendant la soirée, il avait cherché le moyen de réaliser son

à peine hardly	chagrin m. regret
aplomb m. assurance	de fantaisie fancy
à sa guise to suit her pleasure	dominateur domineering
au préalable first	en imposer à to overawe
bijou m. piece of jewelry	se produire to happen
carrière f. career	

12. *se…tête* let his head be turned. (A transitive infinitive has passive force after *laisser*.)
13. *près d'elle* in her presence
14. get a divorce
15. would
16. must
17. *d'une voix chaude* ardently
18. in

projet. Bien entendu, il ne s'agissait pas pour lui de s'enfuir comme un voleur. Pour que sa conscience fût tranquille, il avait besoin de croire que le bonheur de son ménage[19] n'était plus qu'un mot, l'amour s'étant usé.[20] Il lui fallait pour cela
5 une explication nette. Une fois l'évidence reconnue, la séparation s'imposerait.

Oui, mais comment deux timides peuvent-ils avoir ensemble une explication nette?

Quand on se souviendra que Lucien Richez était romancier,
10 on l'excusera d'avoir, en la circonstance, cherché dans son imagination un procédé nouveau.

Pour exposer à sa femme leur situation réciproque, il rédigea un conte, dans lequel il expliqua, en la prêtant à des personnages imaginaires, toute leur histoire. Pour être bien sûr d'être
15 compris, il eut d'ailleurs le soin de citer certains détails intimes, après quoi Mme Richez ne garderait aucun doute sur la signification du récit. Comme dénouement, il faisait divorcer ses deux époux, en spécifiant que la femme, étant sans amour,[21] s'en allait sans larmes et se retirait dans le Midi,[22] où, avec ses
20 rentes suffisantes, elle coulerait des jours heureux près de sa famille…

Quand il remit ce texte à Mme Richez pour qu'elle le dactylographiât, ce ne fut pas sans émotion. Mais Hortensia Balexka

s'agir to be a question	**procédé** m. means of approach
couler to spend	**réciproque** mutual
s'enfuir to run away	**récit** m. tale
époux m. pl. husband and wife	**rédiger** to draft
garder to retain	**remettre** to hand over
s'imposer to become necessary	**rente** f. income
prêter to attribute	**voleur** m. thief

19. *le…ménage* his domestic happiness
20. *s'étant usé* having spent itself
21. *sans amour* no longer in love with her husband
22. *le Midi* The south of France

serait contente. Il avait hâte d'aller lui rendre compte de son exploit.

Quand il rentra, il se demandait quel accueil sa femme lui réservait.[23]

«J'espère que tu ne t'es pas trop ennuyée sans moi, ma chérie?» prononça-t-il d'une voix hésitante...

Et l'autre de lui répondre[24] avec la sérénité coutumière:

«Non. Il y a tellement de travail à faire dans un appartement. Mais je suis tout de même contente de te voir rentrer...»

N'avait-elle donc pas compris? Lucien crut qu'elle avait remis au lendemain la copie du conte. Il se renseigna. Le conte avait bien été par elle tapé à la machine, relu attentivement et envoyé au *Grand Journal*.

Pourquoi se taisait-elle? Son mutisme était incompréhensible. Evidemment elle aussi était timide. Mais, maintenant que la situation était exposée dans sa vérité brutale et qu'il ne s'agissait plus que d'en tirer des conclusions, nullement terribles, il lui semblait qu'on pût parler. Le difficile était d'aborder la question. Or, c'était fait!

Quand le conte parut, Lucien Richez eut son explication. Sa femme en avait changé le dénouement. Les deux époux continuaient encore à divorcer, puisque le mari l'exigeait, mais la femme, qui, même après vingt-trois ans de mariage, avait gardé son amour intact,[25] quoi qu'elle l'exprimât peut-être mal, mourait de chagrin.

accueil m. reception	**mutisme** m. silence
avoir hâte to be eager	**nullement** by no means
chagrin m. grief	**remettre** to postpone
se demander to wonder	**se renseigner** to inquire
difficile m. difficulty	**se taire** to remain silent
exiger to demand	**taper à la machine** to type

23. *lui réservait* would accord him
24. *de lui répondre* answered him (historical infinitive)
25. *avait...intact* still loved him

C'était une réponse!

Lucien Richez la comprit. Le jour même[26] il rompait avec l'inconnue. Mais, pas plus que[27] sa femme ne lui signala sa collaboration accidentelle, il ne lui avoua jamais qu'il avait lu
5 sa nouvelle conclusion. Il y a ainsi des drames sans paroles!

«J'espère que tu ne t'es pas trop ennuyée sans moi, ma chérie?» demanda-t-il seulement avec un peu plus de douceur que de coutume, quand il rentra.

«Non. Il y a tellement de travail à faire dans un apparte-
10 ment. Mais je suis tout de même contente de te voir rentrer», lui répondit sa femme en lui tendant les bras...

rompre to break   signaler to indicate

26. *Le jour même* That very day
27. *pas plus que* just as

EXERCICES

I. Faites le portrait de Lucien Richez: son âge, son occupation, sa réputation, sa domination par Hortensia Balexka.

II. Décrivez le mariage des Richez: leur timidité, leur conversation, la participation de madame Richez aux ouvrages de son mari.

III. Faites un court résumé de ce conte: l'explication de Lucien Richez et la réponse de sa femme.

IV. Traduisez les phrases suivantes:

1. Lucien Richez and his wife had been married for more than twenty years.
2. Lucien always asked her if she had been bored during his absence.

3. He scarcely knew this pretty adventuress whose name was Hortensia Balexka.
4. Lucien would have become a great novelist, if he had married such a woman.
5. Albert Acremant, the author of this story, was born in Arras, on February 3, 1884.

V. Faites une phrase avec chacune des expressions suivantes: s'agir de, d'ailleurs, bien entendu, se douter, tout de même.

MAX AND ALEX FISCHER

   Born in Paris on May 10, 1882, and May 20, 1883, respectively, Max and Alex Fischer were compelled by family difficulties to earn their livelihood at a very early age. *Le Gaulois, Le Petit Journal,* and *L'Écho de Paris* received their first journalistic efforts. In 1903 the poet José-Maria de Heredia, then editor of *Le Journal,* sponsored the publication of their first humorous novel, *Pour s'amuser en ménage.* It met with immediate public favor and marks the beginning of a successful collaboration, which continued until the brothers separated in 1928. Alex Fischer died on April 3, 1935.

Because the Fischers limited their production too exclusively to *contes humoristiques,* whose appeal is for the moment, their names are unfamiliar to readers of the present day. "L'Opinion de Prosper Mariolle" remains, however, as an excellent example of the sprightly tales with which they regaled the public for nearly thirty years.

The story is published by permission of Librairie Ernest Flammarion.

Max et Alex Fischer

L'Opinion
de Prosper Mariolle

I

Pour la première fois, hier matin, l'Aube[1] insérait un article
de Jehan Fardot. De neuf heures à onze heures, le jeune publiciste relut, inlassablement, en cinquième page, son *Interview
avec le Président du Conseil municipal.*

A onze heures une minute, il savait sa chronique par cœur. 5
Même s'il atteignait l'âge de Mathusalem,[2] il sentait qu'il serait
désormais capable de la réciter, imperturbablement, à son lit
de mort. Il plia le journal. Il allongea un coup de poing à[3] sa
table de travail.

—Fardot, mon vieux, s'écria-t-il, tu as le droit d'être 10
fier!... C'est un petit chef-d'œuvre!... Parfaitement, un

chronique f. report	**parfaitement!** yes, indeed!
conseil m. council	**plier** to fold
désormais henceforth	**publiciste** m. journalist
inlassablement tirelessly	

1. *Dawn.* A Paris newspaper, the creation of the authors' imagination
2. Methuselah lived 969 years.
3. *allongea...à* brought his fist down upon

chef-d'œuvre!... Par exemple,[4] il est triste de songer que ces crétins, à *l'Aube,* ne s'en rendent peut-être seulement pas compte!... Que diantre,[5] ce n'est pourtant pas toi, toi l'auteur, qui peux aller le leur dire, toi-même!...

5 Il s'avisa[6] que les choses que l'on ne saurait[7] dire, il demeure, parfois, possible de les écrire.

Il prit une feuille de papier.

En déguisant, soigneusement, son écriture, il rédigea la lettre suivante:

10 Monsieur le directeur,[8]

Bravo! Cent fois bravo! Mille fois bravo!

J'achète, quotidiennement, votre intéressant journal. Permettez-moi de vous l'avouer; je ne l'ai jamais lu avec un plus vif plaisir que ce matin.

15 Ah! Monsieur le directeur! Ah! cet article intitulé *Interview avec le Président du Conseil municipal,* et signé Jehan Fardot! Quel petit bijou! Quel petit chef-d'œuvre!...

Il posa son porte-plume. Perplexe, il se gratta le front.

—Voyons, murmura-t-il, comment diable pourrais-je baptiser 20 le signataire de[9] cette lettre?... Dupont? Mathieu?... Où diable pourrais-je le domicilier?[10]...322, rue des Martyrs? 550, passage des Princes?...

Vingt fois, avant d'envoyer son *Interview* à *l'Aube,* il l'avait

bijou m. jewel	**quotidiennement** daily
crétin m. idiot	**rédiger** to draw up
directeur m. editor	**se rendre compte de** to realize
intitulé entitled	**soigneusement** carefully

4. *Par exemple* By George
5. *Que diantre* But what the deuce
6. *Il s'avisa* The thought occurred to him
7. *ne saurait* would be unable
8. *Monsieur le directeur* Dear Sir
9. *comment...de* how the deuce could I sign
10. *pourrais je le domicilier* could I say he lives

soumise à l'appréciation de son vieil ami Prosper Mariolle. Vingt fois Prosper Mariolle lui avait prodigué des compliments: «C'est épatant, mon vieux, épatant! Tu n'as jamais rien fait de mieux!» Il cessa, subitement, de se gratter le front. Il trempa sa plume dans l'encre. Sans hésiter, il ajouta: 5

Dans l'espoir que vous chargerez, à présent, M. Fardot d'interviewer le Président de la Chambre, le Président du Sénat, le Président du Conseil,[11] le Président de la République, le Président de..., etc., etc., je vous prie d'agréer, monsieur le directeur, l'expression de ma considération distinguée.[12] 10

> Un de vos plus fidèles lecteurs.
> Prosper Mariolle,
> 127, rue des Saints-Pères.

II

Jehan Fardot avait sonné Joséphine, sa bonne. Il lui avait dit: 15
—Joséphine, habillez-vous et descendez. Voici quatorze sous: douze sous pour l'omnibus, deux sous pour un timbre-poste. Prenez cette lettre. Ne la perdez pas. Allez la jeter[13] au bureau de poste de la rue des Saints-Pères... Vous savez bien, le bureau situé presque à côté de la maison où demeure 20 M. Mariolle.
Immobilisée au bord du trottoir, rue Notre-Dame-de-Lorette,

charger to commission	**prodiguer** to bestow freely
épatant marvelous	**subitement** suddenly
gratter to scratch	**timbre-poste** m. postage stamp
immobilisé standing	**tremper** to dip
lecteur m. reader	**trottoir** m. sidewalk

11. *Président du Conseil* Prime Minister
12. *je...distinguée* I am, sir, respectfully
13. *Allez la jeter* Go and drop it

Joséphine attendait le passage de l'autobus. Son regard tomba sur l'enveloppe que Fardot lui avait confiée. Elle lut:

MONSIEUR POUCHE
Directeur de «l'Aube»
6   17, rue du Faubourg-Montmartre
(E.V.)[14]

«Pas possible!... Monsieur il perd complètement la boule![15] songea-t-elle. *L'Aube,* c'est à trois minutes d'ici! Il m'y a envoyée, je n'sais combien de fois, depuis deux mois, porter des
10 lettres! J'y ai été porter une lettre avant-hier encore!... Pourquoi qu'il me fait[16] traverser la moitié de Paris, aujourd'hui, pour aller jeter c'te[17] lettre-là à la poste?...»

L'autobus tardait à paraître. Pour passer le temps, elle s'approcha de la vitrine d'un confiseur. De grosses crottes en
15 chocolat, habillées de papier d'argent et tarifées dix centimes pièce, attirèrent son attention.

—Ça a l'air rien bon,[18] murmura-t-elle. Ben dommage[19] que les quatorze sous que j'porte dans la main, ils soient point[20] à moi!

20 Deux minutes après, Joséphine se dirigeait, à pied, vers le 17 de la rue du Faubourg-Montmartre. Dans sa main droite, elle ne portait plus quatorze sous. Elle portait sept crottes en chocolat.

confier to entrust	**habillé de** wrapped in
confiseur m. confectioner	**tarder à** to be late in
crotte en chocolat f. chocolate	**tarifé** priced
drop	**vitrine** f. shop window

14. *(E.V.): En Ville* (City)
15. head (literally, "ball")
16. *qu'il me fait: me fait-il*
17. *c'te: cette*
18. *Ça...bon* They sure look good
19. *Ben dommage: C'est bien dommage* It's certainly a pity
20. *soient point: ne soient point*

Dans l'antichambre de *l'Aube* elle confiait au garçon du journal: «Passez ce mot à M. Pouche, je vous prie.» M. Pouche, lui-même, passa.

—Qu'est-ce? Une lettre pour moi?... De la part de qui?

—De la part de Monsieur, murmura Joséphine...de M. 5 Fardot.

M. Pouche décacheta l'enveloppe. Son visage exprima, bientôt, une vive surprise. Voyons, cette bonne venait de lui déclarer qu'elle était envoyée par M. Fardot! Il ne rêvait pas cependant! La signature qu'il déchiffrait au bas de cette lettre 10 n'était pas «Jehan Fardot!» Depuis quand «Jehan Fardot» cela s'orthographiait-il «Prosper Mariolle?»...

Il se tourna vers Joséphine:

—Vous dites que c'est M. Fardot, M. Jehan Fardot, qui vous a chargé de m'apporter cette lettre? 15

Joséphine avala le morceau de chocolat qu'elle suçait. Un peu troublée, elle murmura:

—Oui, M'sieu...c'est-à-dire, oui et non. V'là,[21] Monsieur il m'a donné l'ordre, comme ça, d'aller mettre c'te lettre-là à la poste, rue des Saints-Pères... J'ai pensé que ça revenait au 20 même,[22] c'est-y pas[23] vrai?... Alors, d'un coup de pied, je l'ai portée tout droit, ici[24]... Oh! je peux ben[25] le jurer à M'sieu, j'ai pas flâné en route!

---

avaler to swallow	**flâner** to loiter
confier to say in a confidential tone	**jurer** to swear
	mettre à la poste to mail
décacheter to unseal	**s'orthographier** to be spelled
déchiffrer to decipher	**sucer** to suck
de la part de from	

---

21. *V'là: Voilà* You see
22. *revenait au même* amounted to the same thing
23. *c'est-y pas: n'est-ce pas*
24. *Alors...ici* Then I hoofed it right straight over here
25. *ben: bien*

III

Ce matin, Jehan Fardot a trouvé dans son courrier une enveloppe grise. Dans l'angle gauche, étaient imprimés ces mots: *L'Aube.*

Il a bondi de joie:

5 —Ça y est![26] Faut[27] avouer que ça n'a pas traîné! Ma lettre a déjà produit son effet! Nul doute, ils me demandent un autre article.

L'enveloppe contenait deux feuilles de papier. Fébrilement, il a déplié la première. Il a reconnu l'écriture de M. Pouche. 10 Il a lu:

Cher monsieur,

Merci de nous avoir aimablement communiqué l'opinion d'un certain M. Prosper Mariolle, sur votre *Interview avec le Président du Conseil municipal.*

15 Tout permet de supposer[28] que ce certain M. Prosper Mariolle est un de vos amis. C'est donc à regret que nous formulons à son sujet[29] un jugement un peu sévère. Il est indéniable, cependant, qu'il manque totalement de suite dans les idées.[30]

La lettre ci-jointe, parvenue au journal dans la soirée, vous le 20 prouvera...

aimablement kindly	**courrier** m. mail
à regret regretfully	**déplier** to unfold
bondir to leap	**fébrilement** feverishly
ci-joint enclosed	**traîner** to take long

26. *Ça y est!* Here it is!
27. *Faut: Il faut*
28. *permet de supposer* leads to the assumption
29. *à son sujet* with regard to him
30. *manque...idées* is totally incoherent in his thinking

Plus fébrilement encore, Fardot a déplié la seconde feuille de papier. Il a reconnu l'écriture de Mariolle. Il a lu:

Monsieur le directeur,
Oh! le honteux article que vous avez publié ce matin!...
Je veux parler, vous m'avez compris, de *l'Interview avec le Président du Conseil municipal,* signée Jehan Fardot.
En quelle langue est-ce écrit? En nègre? En esquimau? [5]
Ou en espéranto?[31]...
Un bon conseil, monsieur le directeur: n'encombrez plus votre très intéressant journal avec de pareilles ordures, de semblables horreurs, d'analogues monstruosités!
Dans l'espoir que je ne trouverai jamais, dans vos colonnes, [10] une seconde interview signée Fardot, je vous prie d'agréer, monsieur le directeur, les salutations empressées d'un[32] de vos plus fidèles lecteurs.

Prosper Mariolle,
127, rue des Saints-Pères.

analogue similar	**nègre** Negro
encombrer to encumber	**ordures** f. pl. filth
honteux shameful	**semblable** such
monstruosité f. monstrosity	

31. Esperanto. An artificially constructed, international language
32. *je...un* I remain, sir, one

EXERCICES

I. Répondez aux questions suivantes:

1. Quel article Jehan Fardot avait-il publié?
2. Pourquoi a-t-il passé deux heures à le relire?
3. Pourquoi a-t-il décidé d'écrire au directeur de *l'Aube?*
4. Pourquoi a-t-il choisi Prosper Mariolle comme signataire de sa lettre?

5. Quelles instructions Jehan a-t-il données le lendemain à Joséphine?
6. Pourquoi Joséphine pensait-elle que son maître perdait complètement la boule?
7. Comment a-t-elle passé le temps en attendant l'arrivée de l'autobus?
8. Pourquoi n'a-t-elle pas suivi les directions de son maître?
9. Pourquoi M. Pouche était-il surpris en lisant la lettre de Jehan Fardot?
10. Quelle explication Joséphine a-t-elle donnée à M. Pouche?

II. Faites de courts résumés des trois lettres dont il s'agit dans ce conte.

1. La lettre de Jehan Fardot à M. Pouche, le rédacteur de *l'Aube*.
2. La réponse de M. Pouche.
3. La lettre de Prosper Mariolle à M. Pouche.

III. Traduisez les phrases suivantes:

1. Even if Jehan reaches the age of Methuselah, he will be capable of reciting his article on his deathbed.
2. The editor of the newspaper didn't realize that Jehan had sent him a little masterpiece.
3. Jehan rang for Josephine, his maid, asked her to get dressed, and told her to mail his letter at once.
4. The maid had just told him that the letter was from Jehan Fardot, but the signature was that of Prosper Mariolle.
5. Standing in front of the confectioner's shop window, Josephine murmured: "It's a pity that I have only fourteen cents."

IV. Choisissez dans la colonne B l'équivalent anglais de chaque mot de la colonne A.

A	B	A	B
aube	1. maid	**atteindre**	1. attract
conseil	2. home	**plier**	2. unseal
poing	3. forehead	**rédiger**	3. dip
bijou	4. fist	**gratter**	4. decipher
front	5. dawn	**tremper**	5. fold
trottoir	6. thief	**ajouter**	6. confess
vitrine	7. income	**attirer**	7. ring

bonne	8. jewel	décacheter	8. swear
timbre	9. mail	déchiffrer	9. print
courrier	10. stamp	avaler	10. add
ordures	11. furniture	flâner	11. scratch
foyer	12. shop window	imprimer	12. draw up
meubles	13. filth	avouer	13. swallow
voleur	14. sidewalk	jurer	14. reach
rente	15. advice	sonner	15. loiter

V. Écrivez en 25 lignes un résumé de "L'Opinion de Prosper Mariolle."

ROGER RÉGIS

Born in 1883, Roger Régis began his literary career at the age of eighteen. Returning to Paris after distinguished service in the army during World War I, he wrote novels and short stories for the principal newspapers of the capital, including *Le Matin, Le Figaro,* and *L'Avenir.* In more recent years Régis has published a number of volumes of history and historical fiction, showing particular interest in the two Napoleons and the Empress Josephine. *La Belle Sabotière et le Prisonnier de Ham* won the Prix du récit historique in 1936.

"L'Amie" is typical of the hundreds of Régis stories which found favor with newspaper readers of the twenties. Sentimental and gently ironical, it is provided with a surprise ending, but an ending which is quite in harmony with plot and character development.

Permission to publish the story has been secured through M. G. de la Chapelle, Société de Gens de Lettres, New York.

Roger Régis

L'Amie

Dans le soir tombant, les globes électriques et les devantures illuminées des magasins jetaient des lueurs fauves. Une double houle, remontant par la Chaussée d'Antin et la rue Lafayette, se heurtait, se pressait, tourbillonnait autour de la station du métro. Beaucoup d'hommes, appuyés à la grille de fer, atten- 5
daient. Parmi eux, Paul Velpin, immobile, impassible, regar-
dait couler le flot des employés se hâtant vers Montmartre ou la Villette.[1]

Immobile, oui. Impassible, en apparence. Mais non sans
émotion cachée, car son cœur battait la charge. 10

Huit jours plus tôt, il avait fait la connaissance d'une jeune
vendeuse, comme cela, par hasard, selon la fortune coutumière
des idylles parisiennes, et, tout de suite, il était tombé éperdu-

battre to sound	**se heurter** to jostle
chaussée f. road	**houle** f. surge
couler to glide	**idylle** f. romance
coutumier usual	**impassible** unconcerned
devanture f. show window	**lueur** f. gleam
employé m. office worker	**métro** m. subway
éperdument madly	**se presser** to crowd
fauve tawny	**remonter** to go up
flot m. stream	**tombant** early
grille f. railing	**tourbillonner** to swirl
se hâter to hasten	

1. *Montmartre, la Villette.* Northern districts of Paris

ment amoureux. Suzanne, il est vrai, avait tout pour plaire. Sous l'auréole des cheveux blonds, son visage souriait également[2] de sa bouche fraîche comme un fruit, de ses joues creusées de fossettes,[3] de[4] ses grands yeux étonnés,[5] de son nez 5 même, amusant et provocant. Son élégance à bon marché montrait un je ne sais quoi de distingué[6] qui l'eût fait prendre,[7] au besoin, pour l'élégance d'une vraie mondaine. La jeune fille surtout avait un rire clair qui ravissait.

Paul, de son côté,[8] se rendit compte qu'il faisait sur elle quel-
10 que impression. Joli garçon, soigné de sa personne,[9] il sut habilement mettre en valeur ses dons naturels et, n'ayant pas caché qu'il occupait, dans une maison du Sentier,[10] un poste important, il lut dans les regards de Suzanne le souhait habituel des jeunes filles: «Hé! hé! cela ferait un gentil mari!»
15 Les jeunes gens se donnèrent rendez-vous pour le lendemain, au même endroit. Par malheur, Suzanne n'y vint pas seule. Une amie l'accompagnait, une petite brune nommée Georgette, qui aurait pu passer pour la plus charmante du monde si Suzanne n'eût été là. Celle-ci excusa la présence inopportune:
20 «Nous travaillons ensemble, dit-elle, nous habitons presque porte à porte, nous ne nous quittons jamais. Enfin, c'est ma

à bon marché inexpensive	mettre en valeur to make the
au besoin if necessary	most of
auréole f. halo	mondaine f. woman of fashion
clair gay	provocant provocative
habilement cleverly	ravir to delight (one)
inopportun untimely	se rendre compte to realize
	souhait m. aspiration

2. not only
3. *creusées de fossettes* dimpled
4. but also from
5. *grands yeux étonnés* wide wondering eyes
6. *un ... distingué* a certain air of distinction
7. *qui ... prendre* which might have been taken
8. *de son côté* for his part
9. *soigné ... personne* well groomed
10. *Le Sentier.* A district in Paris, center of the wholesale textile industry

seule amie, ma grande[11] amie. Vous pouvez parler devant elle, monsieur!»

Paul cacha son dépit et s'efforça d'être galant. Mais peut-on dire vraiment ce qu'on pense quand un tiers vous écoute? Il remit au jour suivant les phrases soigneusement préparées à l'avance. Le jour suivant, Georgette accompagnait encore Suzanne. Les autres jours, il en fut de même.[12] Hier enfin, profitant d'un moment favorable, le jeune homme glissa dans l'oreille de la jolie blonde:

«Demain, venez seule, je veux vous parler.

—Oui, oui!» fit Suzanne en éclatant de rire.

Et maintenant, Paul attendait, le cœur battant, appuyé à la balustrade du métro. Soudain une lueur brilla dans ses yeux. Suzanne traversait la place, évitant les trams et les autos avec la grâce hardie, la sveltesse rapide d'un jeune animal bondissant.[13] Hélas! derrière elle, Georgette se hâtait avec la même habile légèreté.

Une fois encore, le joli[14] retour vers Montmartre, le bavardage à deux qu'il s'était promis, tout son espoir enfin[15] était gâché. On ne parut pas d'abord s'apercevoir de sa déconvenue. Les deux jeunes filles se donnaient le bras et riaient pour un mot entendu au vol, pour une silhouette entr'aperçue, pour un rien. Paul trottinait à leurs côtés, tantôt à droite, tantôt à gauche, s'effaçant dans les passages encombrés, semblable en tous points

au vol by chance	**glisser** to whisper
bavardage à deux m. chat	**hardi** daring
déconvenue f. disappointment	**légèreté** f. agility
dépit m. vexation	**passage** m. crossing
s'effacer to stand aside	**tiers** m. third person
entr'aperçu half noticed	**tram** m. trolley car
gâché spoiled	**trottiner** to jog along

11. best
12. *il ... même* likewise
13. *sveltesse ... bondissant* swiftness of a lithe and frisky young animal
14. enjoyable
15. in short

à un petit chien bien élevé. Au fond de lui-même,[16] il ronchonnait, pestait, maudissait l'amie trop fidèle et se jurait résolument:

«C'est la dernière fois! On ne m'y reprendra plus!»[17]

5 Place de la Trinité, un encombrement le sépara de ses compagnes. Il dut courir pour les rejoindre. Place Clichy, devant son silence têtu, Suzanne s'émut enfin et s'écria:

«Qu'avez-vous aujourd'hui, monsieur Paul?

—Moi? Rien.

10 —Pourquoi restez-vous muet comme une carpe?[18]

—J'ai le cafard.

—Ah bah! la guerre n'est donc pas finie?»

Et Suzanne éclata de rire. Mais Paul ne rit pas. Sa rancune secrète le faisait rêver d'insolentes revanches et de vengeances
15 adroites. Près de la rue Caulaincourt, on s'arrêta. Suzanne était arrivée. Les deux jeunes filles s'embrassèrent. Paul serra les mains tendues, répéta comme d'habitude:

«A demain!»

Puis, ayant traversé la chaussée, il tomba en contemplation[19]
20 devant une boutique de cartes postales et attendit. Bientôt, du coin de l'œil, il vit Georgette poursuivre seule son chemin. Il courut sur ses traces,[20] et l'abordant:

«Excusez-moi, dit-il, mais ça ne peut plus durer ainsi! Tous les soirs, j'espère causer tranquillement avec votre amie, tous
25 les soirs vous l'accompagnez et je ne puis rien dire!»

aborder to approach	**pester** to storm
avoir le cafard to have the blues	**rancune** f. resentment
s'émouvoir to take pity	**revanche** f. revenge
encombrement m. traffic jam	**ronchonner** to grumble
jurer to swear	**têtu** stubborn
maudire to curse	**vengeance** f. act of retaliation

16. *Au...lui-même* Deep within
17. *On...plus!* You won't catch me again!
18. *muet...carpe* dumb as an oyster (literally, "as a carp")
19. *tomba en contemplation* stopped to meditate
20. *sur ses traces* after her

Georgette ne parut pas surprise de l'apostrophe. Elle répondit doucement:

«Il ne faut pas m'en vouloir, monsieur. C'est Suzanne qui insiste pour que je ne la quitte pas. Toutes les jeunes filles sont pareilles, je crois. Cela nous gêne de nous trouver seules avec 5 un jeune homme. Nous avons peur. Il y en a tant parmi vous qui n'ont pas d'honnêtes intentions! Tandis qu'à deux contre un, nous nous sentons fortes; nous rions, peut-être sans motif. Nous vous provoquons, par jeu uniquement.[21] Cela n'empêche pas les sentiments, croyez-moi! 10

—Peut-être! répondit Paul, mais, en attendant, je ne sais plus que faire. Votre amie a l'air de se moquer de moi. J'en suis las. Demain certainement, je ne reviendrai pas au rendez-vous.

—Ah!» fit[22] Georgette d'une voix douloureuse. 15

Il la regarda bien en face, crut comprendre ce qu'elle voulait dire et, soudain ému d'un espoir nouveau, ajouta:

«A moins que...

—A moins que?

—Ce soit vous, mademoiselle Georgette, ce soit vous qui soyez 20 là, toute seule, pour moi tout seul...»

Il eut à peine le temps de finir sa phrase. L'autre répliqua:

«J'y serai. Mais nous changerons de métro. A six heures et demie, place de l'Opéra!»

Avidement, il saisit les petites mains qu'on lui tendait. Rien 25 n'existait plus du passé, si proche cependant. Les blondes? Peuh! ça ne vaut pas les brunes, n'est-ce pas?...

Le lendemain, à l'heure fixée, Paul se trouvait place de

à peine hardly
apostrophe m. reproach
douloureux sorrowful
en attendant meanwhile

en vouloir à to hold against
gêner to embarrass
honnête honorable
las tired

---

21. *par jeu uniquement* simply for the fun of it
22. said

l'Opéra. Immobile, impassible d'apparence, mais le cœur battant la charge, il attendait. Georgette fut exacte au rendez-vous. Seulement, derrière elle, trottait une petite rouquine, une amie qui l'accompagnait...

rouquine f. red-haired girl

EXERCICES

I. Racontez brièvement l'histoire de Paul et de Suzanne.

1. Depuis quand se connaissaient-ils?
2. Comment gagnaient-ils leur vie?
3. Où et quand se réunissaient-ils tous les jours?
4. Pourquoi Paul n'avait-il pas encore parlé de son amour?
5. Comment Suzanne s'est-elle moquée de Paul?
6. Comment a-t-il essayé de se venger d'elle?
7. Pourquoi n'a-t-il pas pu prendre sa revanche?
8. Pensez-vous que Paul était vraiment amoureux?

II. Discutez les relations entre Suzanne et Georgette.

1. Pourquoi est-ce que Georgette a accompagné Suzanne à son rendez-vous avec Paul?
2. Est-ce que les deux jeunes filles étaient d'accord pour se moquer de Paul?
3. Pensez-vous que Georgette était vraiment «la grande amie» de Suzanne?

III. Faites le portrait de Suzanne: ses cheveux, son visage, son élégance, son rire, sa personnalité.

IV. Traduisez les phrases suivantes:

1. Joli garçon, soigné de sa personne, il sut habilement mettre en valeur ses dons naturels.

2. Une double houle, remontant la rue Lafayette, se heurtait, se pressait, tourbillonnait autour de la station du métro.
3. Son élégance à bon marché montrait un je ne sais quoi de distingué qui l'eût fait prendre, au besoin, pour l'élégance d'une vraie mondaine.
4. Une fois encore, le joli retour vers Montmartre, le bavardage à deux qu'il s'était promis, tout son espoir enfin était gâché.
5. Au fond de lui-même, il ronchonnait, pestait, maudissait l'amie trop fidèle et se jurait résolument: «On ne m'y reprendra plus!»

V. Choisissez dans la colonne B l'équivalent anglais de chaque mot de la colonne A.

A	B	A	B
appuyer	1. spoil	devanture	1. vexation
tourbillonner	2. squeeze	joue	2. care
se rendre compte	3. approach	fossette	3. aspiration
gâcher	4. embarrass	dépit	4. cheek
maudire	5. demand	lueur	5. tear
aborder	6. lean	chaussée	6. shop window
gêner	7. curse	boutique	7. road
exiger	8. avoid	souhait	8. dimple
serrer	9. whirl	larme	9. gleam
éviter	10. realize	soin	10. shop

MAURICE LEVEL

    Maurice Level, born in Vendôme in 1875, was the author of
a number of popular mystery novels, several of which appeared in English translation. Henry B. Irving, the distinguished actor-
manager and amateur criminologist, wrote introductions to two collections of Level stories, *Tales of Mystery and Horror* (1920), and *Grand
Guignol Stories* (1922). Level wrote more than fifteen hundred stories
during the twenty years prior to his death in Brussels in 1926.

When requested to submit a story for inclusion in an anthology of the
short story appearing in 1924, Level selected from his tremendous production "L'Absente." It is typical of the *petits contes* so avidly consumed
by Paris subway and omnibus commuters during the decade after the
First World War.

Permission to publish the story has been secured through M. G. de la
Chapelle, Société des Gens de Lettres, New York.

Maurice Level

L'Absente

Elle partit un matin, laissant en évidence sur sa coiffeuse le billet classique: «Nous n'étions pas faits l'un pour l'autre. Je m'en vais. Pardonne-moi et oublie-moi. Suzanne.»

Comme il était sorti de bonne heure et que,[1] la veille, rien ne faisait[2] prévoir une décision semblable, il crut d'abord qu'il 5 s'agissait d'un accès de mauvaise humeur—elle était irritable et coutumière de ce genre[3] de menaces—et qu'elle reviendrait pour le déjeuner. Mais midi, puis une heure sonnèrent sans qu'elle parût. Au quart,[4] la bonne lui dit:

«Si on tarde davantage, le déjeuner sera gâté.» 10

Il répondit d'un ton très naturel:

«Madame m'a prévenu qu'elle ne rentrerait peut-être pas; si dans dix minutes elle n'est pas là,[5] vous servirez.»

Il se refusait à croire à la réalité de cette fuite et accordait à sa femme ce dernier délai. A une heure et demie, il se mit 15

---

accès m. fit	**gâté** spoiled
accorder to grant	**prévenir** to warn
s'agir to be a question	**semblable** such
coiffeuse f. dressing table	**veille** f. evening before
fuite f. flight	

---

1. *que: comme*
2. *ne faisait* led him
3. *coutumière...genre* inclined to this sort
4. *Au quart* At quarter past one
5. here

à table, plus agacé qu'ému. L'inquiétude ne commença vraiment à le gagner que quand il eut pris son café. Il essaya de lire, d'écrire, puis, ne parvenant pas à fixer sa pensée,[6] guetta derrière les rideaux. L'appartement s'emplissait d'un silence inaccoutumé; la nuit vint; alors il se remémora mille détails, des discussions, de drôles de regards,[7] de lourds silences, et trembla de comprendre.[8] Il eut la tentation de téléphoner à des parents, à des amis, décrocha le récepteur, mais au moment de parler se ravisa: si elle revenait, à quoi bon mettre des tiers dans la confidence[9] et s'obliger à donner ensuite des explications?... Déjà la présence de la domestique et son interrogation muette l'irritaient. Il serait temps, le soir, au cas improbable où Suzanne ne rentrerait pas, d'avouer la vérité. A huit heures, la bonne risqua:[10]

«Tout de même, est-ce qu'il serait arrivé quelque chose à Madame?...»[11]

Il sentit plus de curiosité que d'inquiétude dans ce propos et mentit pour la seconde fois.

«Non, non... Madame m'avait prévenu. Servez!»

Il mangea, les bouchées s'arrêtant dans sa gorge,[12] puis s'allongea dans un fauteuil, l'oreille tendue[13] aux bruits de la rue,

agacé irritated	**inquiétude** f. anxiety
s'allonger to stretch out	**propos** m. remark
décrocher to lift	**récepteur** m. receiver
ému disturbed	**se raviser** to change one's mind
gagner to take hold of	**se remémorer** to recall
guetter to watch	

6. *ne...pensée* unable to concentrate
7. *de drôles de regards* queer looks
8. *trembla de comprendre* feared to understand (their meaning)
9. *à...confidence* what good would it do to bring outsiders into it
10. ventured to inquire
11. *Tout...Madame?* After all, do you suppose something *could* have happened to madame?
12. *les...gorge* swallowing with difficulty
13. *l'oreille tendue* listening intently

aux heurts de la porte cochère. Le jour venu, le chagrin, le regret, la honte l'accablèrent. Il inventa encore un prétexte, une parente malade. Mais l'aventure se colportait dans la maison;[14] les locataires le regardaient avec des airs apitoyés; les domestiques chuchotaient sur le palier de service.[15] La 5 bonne ne questionnait plus, mais son silence était d'une terrible éloquence.

Il réfléchit:

«Si Suzanne revient, qu'est-ce que je dirai?... Faudra-t-il que je me cache de la reprendre[16]...que je la cache?» 10

L'idée de la repousser ne l'effleurait même pas.[17] C'était une enfant, une faible,[18] et il l'aimait assez pour pardonner... Mais les autres?... Cette bonne hostile, ces voisins narquois? Il appela sa servante et dit sans lever les yeux:

«Voilà[19]... Je vais voyager... Je ne peux pas vous garder... 15 Je regrette.»

Ensuite, il donna congé à son propriétaire, s'installa à l'autre bout de Paris et prit une nouvelle bonne. Il aurait pu se faire passer pour célibataire, mais comme il ne se résignait pas à renoncer à son espoir, il inventa tout un roman: Madame était 20 absente; elle reviendrait dans une quinzaine. Il disait ses goûts, ses habitudes, comment elle voulait qu'on dressât la table, où

accabler to overwhelm	**locataire** m. tenant
apitoyé pitying	**narquois** sly
célibataire m. bachelor	**parent** m. (f. **parente**) relative
chagrin m. sorrow	**porte cochère** f. carriage entrance
chuchoter to whisper	**propriétaire** m. landlord
congé m. notice	**quinzaine** f. fortnight
dresser to set	**repousser** to spurn
heurt m. sound	**roman** m. story

14. *l'aventure...maison* the story spread through the building
15. *palier de service* landing of the service stairway
16. *Faudra-t-il...reprendre* Must I conceal the fact that I'm taking her back
17. *ne...pas* didn't even occur to him
18. *une faible* a poor, weak woman
19. Listen

elle rangeait son linge, ses robes, poussant le souci du vraisem-
blable jusqu'à s'enquérir,[20] quand il revenait de ses affaires:

«Pas de dépêche?... Pas de coup de téléphone?...»

Au bout d'un mois, devinant à[21] certains sourires que la ser-
5 vante n'était pas dupe, il profita du premier prétexte pour la
congédier et redit la même fable à sa remplaçante:

«Madame va arriver d'un jour à l'autre[22]... Si par hasard
je ne suis pas là,[23] je suis allé faire un tour dans le quartier...»

Il finissait par se prendre à ses inventions,[24] s'arrêtant brus-
10 quement dans la rue, gravissant en hâte ses quatre étages, le
cœur battant, écrasé quand la bonne lui répondait:

«Non, monsieur, personne n'est venu.»

Il avait renoncé à tout travail, le cerveau occupé uniquement
de l'infidèle, vivant dans une sorte de rêve, tantôt désespéré et
15 tantôt plein de foi. La servante, qui d'abord l'avait écouté, ne
tarda pas à soupçonner[25] qu'il cachait quelque chose; il la ren-
voya comme il avait renvoyé l'autre, décidé à n'en garder
aucune plus de quinze jours, afin que, quand Suzanne reviendrait, son absence semblât naturelle. Mais le temps passait,
20 sans que rien modifiât le cours de son existence solitaire, sans
que rien brisât sa certitude obstinée. Son souhait prenait

briser to shatter	**faire un tour** to take a stroll
cerveau m. mind	**gravir** to climb
congédier to dismiss	**linge** m. linen
dépêche f. telegram	**ranger** to keep
désespéré in despair	**remplaçante** f. successor
deviner to guess	**renvoyer** to discharge
écrasé crushed	**tantôt...tantôt** now...now
en hâte hurriedly	**uniquement** exclusively
fable f. story	

20. *poussant...s'enquérir* so anxious to make his story seem plausible that
he would inquire
21. from
22. *d'un...l'autre* any day
23. at home
24. *Il...inventions* He gradually came to believe his own stories
25. *ne...soupçonner* soon suspected

corps[26]; il lui arrivait, quand il engageait une domestique, de commander[27] les plats favoris de sa femme, de faire mettre son couvert en face du sien, de dîner devant cette place vide.

Puis il compta par années; quelquefois, il assignait une limite à sa patience: 5

«Si dans un mois, jour pour jour,[28] elle ne m'a pas donné signe de vie...»

Le mois écoulé, il accordait un délai nouveau, calculant que le temps n'accomplit son œuvre que lentement, avec l'indifférence et aussi la force irrésistible de ce qui est éternel. Un matin, 10 il crut la reconnaître. Son départ datait déjà de cinq ans et la mode avait changé sa silhouette.[29] Il courut; un embarras de voitures[30] les sépara. Aussitôt, son doute se changea en certitude: C'était elle; elle l'avait vu, mais elle n'avait osé ni l'aborder ni l'attendre. Ce soir, à la faveur de l'ombre,[31] elle 15 sonnerait... Il fit dresser le couvert, mettre des fleurs. Elle ne vint pas.

Il vieillissait, ses tempes devenaient grises, sa démarche lourde avant l'âge.[32] Néanmoins il demeurait coquet, soigné de sa personne,[33] pour elle; et les servantes se succédaient, et il redisait 20 à toutes la même histoire, s'informant toujours si Madame n'avait pas téléphoné, si personne n'était venu en son absence.

---

aborder to speak to   **néanmoins** nevertheless
couvert m. place (at table)   **oeuvre** f. work
démarche f. gait   **plat** m. dish
écoulé elapsed   **tempe** f. temple

---

26. *prenait corps* took on substance, became real to him
27. *il lui arrivait...de commander* he would even go so far...as to order
28. *jour pour jour* to the very day
29. *la...silhouette* styles had changed
30. *embarras de voitures* traffic tie-up
31. *à...l'ombre* under cover of darkness
32. *avant l'âge* prematurely
33. *il...personne* he remained well-groomed, taking pains with his appearance

Un soir, il était huit heures, il allait se mettre à table, et expliquait à une bonne entrée le matin même :[34]

«Quand Madame est là, on lui avance ce fauteuil; il faut aussi préparer ses mules, devant la cheminée...»

5 On sonna. Il sentit cœur sauter dans sa poitrine.[35]

«Allez! allez ouvrir! C'est elle, peut-être...»

Il n'y croyait pas. Il n'y croyait plus... Après quinze ans!...

Et la servante étant sortie revint et dit, comme une chose
10 naturelle :

«C'est Madame.

—C'est...»

Il se dressa, puis se laissa retomber sur sa chaise. Suzanne se tenait devant lui, dans le cadre noir de la porte ouverte, les
15 yeux baissés, les épaules humbles.[36] Il tendit les bras, ouvrit la bouche pour crier :

«Toi! C'est toi! Enfin!...»

Mais il aperçut le visage placide de la servante. A celle-ci, il avait dit que Madame était absente depuis quarante-huit
20 heures seulement. Est-ce qu'on manifeste une telle joie, des transports aussi affolés[37] après une séparation si courte?

Alors, songeant à ses années de patience, de certitude et de mensonges, il fit appel à toute sa force, et, pour que la chose parût simple et ce retour normal, il dit comme s'ils s'étaient
25 vus la veille, avec ce ton de reproche qu'un mari a bien le droit de prendre avec sa femme :

«Encore en retard! Voyons, tu n'es pas raisonnable![38] Il est plus de huit heures!»

cadre m. frame		mule f. slipper	
se dresser to sit up		se tenir to stand	
mensonge m. lie			

34. *entrée...même* engaged that very morning
35. *sauter...poitrine* leap within him
36. *les épaules humbles* diffident and humble
37. *des...affolés* such a wild outburst of emotion
38. *Voyons...raisonnable!* Really, how inconsiderate you are!

EXERCICES

I. Répondez aux questions suivantes:

1. Comment Suzanne a-t-elle expliqué son départ à son mari?
2. Pourquoi croyait-il cependant qu'elle reviendrait pour le déjeuner?
3. Comment a-t-il essayé de fixer sa pensée après le déjeuner?
4. Pourquoi n'a-t-il pas téléphoné à des parents ou à des amis?
5. Comment a-t-il passé la première nuit après le départ de sa femme?
6. Quels deux prétextes a-t-il inventés en causant avec la bonne?
7. Pourquoi a-t-il donné congé à son propriétaire? Où est-il allé?
8. Quel roman a-t-il inventé pour expliquer l'absence de Madame à la nouvelle bonne?
9. Pourquoi a-t-il décidé de ne garder aucune bonne plus de quinze jours?
10. Pourquoi a-t-il enfin renoncé à tout travail?

II. Traduisez les phrases suivantes:

1. Tout de même, est-ce qu'il serait arrivé quelque chose à Madame?
2. Il vieillissait, ses tempes devenaient grises, sa démarche lourde avant l'âge.
3. Il essaya de lire, puis, ne parvenant pas à fixer sa pensée, guetta derrière les rideaux.
4. Il s'allongea dans un fauteuil, l'oreille tendue aux bruits de la rue, aux heurts de la porte cochère.
5. Mais l'aventure se colportait dans la maison; les locataires le regardaient avec des airs apitoyés.
6. Il gravissait en hâte ses quatre étages, le cœur battant, écrasé quand la bonne lui répondait: «Non, monsieur, personne n'est venu.»
7. Le cerveau occupé uniquement de l'infidèle, il vivait dans une sorte de rêve, tantôt désespéré et tantôt plein de foi.
8. Elle n'avait osé ni l'aborder ni l'attendre. Ce soir, à la faveur de l'ombre, elle sonnerait.

III. Traduisez les phrases suivantes:

1. That very morning, while taking a stroll in the neighborhood, he had seen her in front of the post office.

2. His wife had notified him the night before that she might not be home for lunch at one-thirty.

3. When Suzanne returns, her husband will take her back, even if he must wait for fifteen years.

4. Why didn't this gentleman pass himself off as a bachelor? Then he could have kept the same maid.

5. Hasn't anyone come in your absence? Hasn't your wife dared either to telephone or send you a telegram?

IV. Faites un résumé du dénouement de "**L'Absente**": la nouvelle bonne, le retour de Madame, l'accueil du mari.

V. Faites une phrase avec chacune des expressions suivantes: aussitôt, aussitôt que, devenir, deviner, ne tarder pas à.

VI. Écrivez en 25 lignes la composition suivante: Comparez le héros de "L'Absente" avec Lucien Richez.[1]

1. Voir "Les Drames sans Paroles."

André Maurois

Naissance d'un Maître

Le peintre Pierre Douche achevait une nature morte,[1] fleurs dans un pot de pharmacie,[2] aubergines dans une assiette, quand le romancier Paul-Émile Glaise entra dans l'atelier. Glaise contempla pendant quelques minutes son ami qui travaillait, puis dit fortement: 5

—Non.

L'autre, surpris, leva la tête, et s'arrêta de polir[3] une aubergine.

—Non, reprit Glaise, crescendo,[4] non, tu n'arriveras jamais.[5] Tu as du métier,[6] tu as du talent, tu es honnête. Mais ta peinture est plate, mon bonhomme.[7] Ça n'éclate pas,[8] ça ne gueule pas.[9] Dans un salon de cinq mille toiles, rien n'arrête devant 10

atelier m. studio	**peinture** f. painting
aubergine f. eggplant	**plat** dull
fortement emphatically	**romancier** m. novelist
naissance f. birth	**salon** m. exhibition
peintre m. painter	**toile** f. canvas

1. *nature morte* still life (painting)
2. *pot de pharmacie* mortar (mixing bowl used by druggists)
3. *de polir* giving the final touches to
4. more and more loudly
5. *tu n'arriveras jamais* you will never get anywhere
6. *Tu...métier* You know your trade
7. *mon bonhomme* my poor fellow
8. *Ça n'éclate pas* There's nothing striking about it
9. *ça...pas* it isn't loud enough

les tiennes le promeneur endormi[10]... Non, Pierre Douche, tu n'arriveras jamais. Et c'est dommage.

—Pourquoi? soupira l'honnête Douche. Je fais[11] ce que je vois: je n'en demande pas plus.

5 —Il s'agit bien de cela:[12] tu as une femme, mon bonhomme, une femme et trois enfants. Le lait vaut dix-huit sous le litre, et les œufs coûtent un franc pièce. Il y a plus de tableaux que d'acheteurs, et plus d'imbéciles que de connaisseurs. Or quel est le moyen, Pierre Douche, de sortir de la foule inconnue?

10 —Le travail?

—Sois sérieux. Le seul moyen, Pierre Douche, de réveiller les imbéciles, c'est de faire des choses énormes.[13] Annonce que tu vas peindre au Pôle Nord. Promène-toi[14] vêtu en[15] roi égyptien. Fonde une école. Mélange dans un chapeau[16] des

15 mots savants: extériorisation dynamique, et compose des manifestes. Nie le mouvement, ou le repos; le blanc, ou le noir; le cercle, ou le carré. Invente la peinture néo-homérique, qui ne connaîtra que le rouge et le jaune, la peinture cylindrique, la peinture octaédrique,[17] la peinture à quatre dimensions...

20 A ce moment, un parfum étrange et doux annonça l'entrée de Mme Kosnevska. C'était une belle Polonaise dont Pierre Douche admirait la grâce. Abonnée à des revues coûteuses qui

abonné m. subscriber
carré m. square
connaisseur m. connoisseur
coûteux expensive
extériorisation f. externalization
litre m. liter (about seven eighths of a quart)

manifeste m. manifesto
nier to deny
pièce each
Polonaise f. Polish woman
revue f. magazine
savant learned
soupirer to sigh

10. *promeneur endormi* listless, inattentive visitor
11. paint
12. *Il...cela* That's just it
13. *faire...énormes* do things in a big way
14. *Promène-toi* Walk about
15. as an
16. *Mélange...chapeau* Pick out of a hat
17. octahedral (having eight plane faces)

reproduisaient à grands frais[18] des chefs-d'œuvre d'enfants de trois ans, elle n'y trouvait pas le nom de l'honnête Douche et méprisait sa peinture. S'allongeant sur un divan, elle regarda la toile commencée, secoua ses cheveux blonds, et sourit avec un peu de dépit:[19]

—J'ai été[20] hier, dit-elle, de son accent roulant et chantant,[21] voir une exposition d'art nègre de la bonne époque.[22] Ah! la sensibilité, le modelé, la force de ça!

Le peintre retourna pour elle un portrait dont il était content.

Les lèvres de la belle Polonaise, émues, promirent des bon- heurs roulants et chantants.

—Gentil, dit-elle du bout des lèvres,[23] et, roulante, chantante, parfumée, disparut.[24]

Pierre Douche jeta sa palette dans un coin et se laissa tomber sur le divan:—Je vais, dit-il, me faire inspecteur d'assurances, employé de banque, agent de police. La peinture est le dernier des métiers. Le succès, fait[25] par des badauds, ne va qu'à des faiseurs. Au lieu de respecter les maîtres, les critiques en- couragent les barbares. J'en ai assez, je renonce.[26]

Paul-Émile, ayant écouté, alluma une cigarette et réfléchit assez longuement.

agent de police m. policeman	**faiseur** m. intriguing bluffer
s'allonger to stretch out	**inspecteur** m. agent
assurance(s) f. insurance	**mépriser** to scorn
badaud m. idle fool	**modelé** m. modeling
barbare m. uncivilized radical	**retourner** to turn over
ému quivering with emotion	**sensibilité** f. feeling
se faire to become	

18. *à grands frais* at great expense
19. *avec...dépit* a bit spitefully
20. *J'ai été* I went
21. *de...chantant* in her drawling, singsong voice
22. *de...époque* of the good old days
23. *du...lèvres* pursing her lips
24. *roulante...disparut* swaying to and fro, bidding farewell in her singsong voice, she disappeared, leaving behind a trail of perfume
25. determined
26. *je renonce* I give up

—Veux-tu, dit-il enfin, donner aux snobs et aux faux artistes la dure leçon qu'ils méritent? Te sens-tu capable d'annoncer en grand mystère et sérieux[27] à la Kosnevska,[28] et à quelques autres esthètes, que tu prépares depuis dix ans un renouvelle-
5 ment de ta manière?

—Moi? dit l'honnête Douche étonné.

—Écoute... Je vais annoncer au monde, en deux articles bien placés, que tu fondes l'École idéo-analytique. Jusqu'à toi,[29] les portraitistes, dans leur ignorance, ont étudié le visage
10 humain. Sottise! Non, ce qui fait vraiment l'homme, ce sont les idées qu'il évoque en nous. Ainsi le portrait d'un colonel, c'est un fond bleu et or que barrent cinq énormes galons,[30] un cheval dans un coin, des croix dans l'autre. Le portrait d'un industriel, c'est une cheminée d'usine, un poing fermé sur une
15 table. Comprends-tu, Pierre Douche, ce que tu apportes au monde, et peux-tu me peindre en un mois vingt portraits idéo-analytiques?

Le peintre sourit tristement.

—En une heure, dit-il, et ce qui est triste, Glaise, c'est que
20 cela pourrait réussir.

—Essayons.

—Je manque de bagout.[31]

—Alors, mon bonhomme, à toute demande d'explication,

bien placé well timed	**poing** m. fist
esthète m. aesthete (lover of the beautiful)	**portraitiste** m. portrait painter
évoquer to stimulate	**renouvellement** m. change
fond m. background	**snob** m. faddist
industriel m. manufacturer	**sottise** f. nonsense
manière f. style	**usine** f. factory

27. *en...sérieux* seriously and with a great air of mystery
28. *la Kosnevska* that Kosnevska woman
29. *Jusqu'à toi* Until you came
30. *que...galons* with five enormous stripes across it
31. *Je...bagout* I can't throw the bull

tu prendras un temps,[32] tu lanceras une bouffée de pipe au nez du questionneur,[33] et tu diras ces simples mots: «Avez-vous jamais regardé un fleuve?»

—Et qu'est-ce que cela veut dire?

—Rien, dit Glaise, aussi[34] le trouveront-ils très beau, et quand 5
ils t'auront bien[35] découvert, expliqué, exalté, nous raconterons l'aventure et jouirons de leur confusion.

Deux mois plus tard, le vernissage de l'Exposition Douche s'achevait[36] en triomphe. Chantante, roulante, parfumée, la belle Mme Kosnevska ne quittait plus son nouveau grand 10
homme.

—Ah! répétait-elle, la sensibilité! le modelé, la force de ça? Quelle intelligence! Quelle révélation! Et comment, cher, êtes-vous parvenu à[37] ces synthèses étonnantes?

Le peintre prit un temps, lança une forte[38] bouffée de pipe, et 15
dit: «Avez-vous jamais, chère madame, regardé un fleuve?»

En pardessus à col de lapin, le jeune et brillant Lévy-Cœur discutait au milieu d'un groupe: Très fort![39] disait-il, très fort! Pour moi, je répète depuis longtemps qu'il n'est pas[40] de lâcheté pire que de peindre d'après un modèle. Mais, dites-moi, 20
Douche, la révélation? D'où vient-elle? De mes articles?

Pierre Douche prit un temps considérable, lui souffla au nez

---

aventure f. trick
bouffée (f.) de pipe cloud of pipe
  smoke
col m. collar
exalter to glorify
lâcheté f. cowardice

lapin m. rabbit
pardessus m. overcoat
vernissage m. private advance
  showing (of an art exhibition)
vouloir dire to mean

---

32. *tu ... temps* you will take your time
33. *au ... questionneur* in the questioner's face
34. so
35. fully
36. was closing
37. *êtes ... à* did you manage to create
38. dense
39. *Très fort!* Wonderful!
40. *il n'est pas: il n'y a pas*

une bouffée triomphante, et dit: «Avez-vous jamais, monsieur, regardé un fleuve?

—Admirable! approuva l'autre, admirable!»

A ce moment, un célèbre marchand de tableaux, ayant achevé
5 le tour de l'atelier, prit le peintre par la manche et l'entraîna dans un coin.

—Douche, mon ami, dit-il, vous êtes un malin. On peut faire un lancement de ceci.[41] Réservez-moi votre production. Ne changez pas de manière avant que je ne vous le dise, et je
10 vous achète[42] cinquante tableaux par an... Ça va?[43]

Douche, énigmatique, fuma sans répondre.

Lentement, l'atelier se vida. Paul-Émile Glaise alla fermer la porte derrière le dernier visiteur. On entendit dans l'escalier un murmure admiratif qui s'éloignait.[44] Puis, resté seul avec
15 le peintre, le romancier mit joyeusement ses mains dans ses poches et partit d'un éclat de rire formidable.[45] Douche le regarda avec surprise.

—Eh bien! mon bonhomme, dit Glaise, crois-tu que nous les avons eus?[46] As-tu entendu le petit au col de lapin? Et la
20 belle Polonaise? Et les trois jolies jeunes filles qui répétaient: «Si neuf! si neuf!» Ah! Pierre Douche, je croyais la bêtise humaine insondable, mais ceci dépasse mes espérances.

Il fut repris d'une crise de rire invincible.[47] Le peintre fronça le sourcil,[48] et, comme des hoquets convulsifs agitaient l'autre,
25 dit brusquement:

bêtise f. stupidity	**malin** m. rascal
hoquet m. hiccup	**manche** f. sleeve
insondable fathomless	**se vider** to become empty

41. *On ... ceci* We can go places with this
42. *je vous achète* I'll buy from you
43. *Ça va?* Okay?
44. gradually died away
45. *partit ... formidable* burst into uproarious laughter
46. *crois-tu ... eus?* didn't we fool them?
47. *Il ... invincible* Again he burst into uncontrollable laughter
48. *fronça le sourcil* frowned

—Imbécile!

—Imbécile! cria le romancier furieux. Quand je viens de réussir la plus belle charge que[49] depuis Bixiou...[50]

Le peintre parcourut des yeux[51] avec orgueil les vingt portraits analytiques et dit avec la force que donne la certitude: 5

—Oui, Glaise, tu es un imbécile. Il y a quelque chose dans cette peinture...

Le romancier contempla son ami avec une stupeur infinie.

—Celle-là est forte![52] hurla-t-il. Douche, souviens-toi. Qui t'a suggéré cette manière nouvelle? 10

Alors Pierre Douche prit un temps, et tirant de sa pipe une énorme bouffée:

—As-tu jamais, dit-il, regardé un fleuve?...

hurler to shout	**stupeur** f. amazement
infini infinite	**suggérer** to suggest
orgueil m. pride	

49. *réussir...que* worked the finest "gag"
50. A practical joker in one of Balzac's novels
51. *parcourut des yeux* glanced over
52. *Celle-là est forte!* That's a good one!

EXERCICES

I. Faites un résumé de "Naissance d'un maître".

1. L'arrivée du romancier Paul-Émile Glaise.
2. Son opinion sur la peinture de son ami Pierre Douche.
3. Les deux moyens de réussir.
4. Portrait de Mme Kosnevska.
5. Son mépris de l'œuvre de Pierre Douche.
6. Le découragement de celui-ci.
7. Les projets du romancier: comment il va aider Pierre Douche à prendre sa revanche.

8. Ce que c'est que l'École idéo-analytique.
9. L'explication de sa nouvelle manière par le célèbre peintre Pierre Douche.
10. Les sentiments du jeune Lévy-Cœur.
11. La proposition du célèbre marchand de tableaux.
12. La joie et la stupéfaction de Paul-Émile Glaise.

II. Choisissez l'expression anglaise qui convient.

atelier 1. harness 2. attire 3. studio 4. eggplant 5. plate
métier 1. trade 2. meter 3. scorn 4. sleeve 5. master
toile 1. toil 2. veil 3. roof 4. toilet 5. canvas
moyen 1. rascal 2. means 3. model 4. silence 5. manager
foule 1. fool 2. scarf 3. woods 4. crowd 5. ditch
lèvre 1. lever 2. rabbit 3. lip 4. chin 5. forehead
coin 1. corner 2. coin 3. square 4. collar 5. chest
fond 1. fun 2. background 3. meadow 4. cross 5. fist
usine 1. kitchen 2. nonsense 3. custom 4. utility 5. factory
lâcheté 1. stupidity 2. amazement 3. cowardice 4. honesty 5. feeling
orgueil 1. pride 2. orgy 3. filth 4. command 5. pillow
soupirer 1. take supper 2. breathe 3. support 4. sigh 5. whisper
mépriser 1. misunderstand 2. deceive 3. scorn 4. undertake 5. lie
secouer 1. help 2. shake 3. jump 4. display 5. suggest
jouir 1. play 2. join 3. judge 4. swear 5. enjoy
souffler 1. blow 2. shuffle 3. suffer 4. wish 5. soil
entraîner 1. take away 2. entrain 3. drag 4. exhort 5. arouse
vider 1. see 2. violate 3. turn 4. deny 5. empty
hurler 1. throw 2. shout 3. hoist 4. oil 5. twist

III. Traduisez les phrases suivantes:

1. Pierre Douche has been working for years, but he has never gotten anywhere, because he does not know how to do things in a big way.
2. In order to emerge from the unknown crowd, one must found a school. The critics do not like painters who paint only what they see.
3. Having listened to the beautiful Polish woman, Douche sighed and sat down on the davenport. "I'm going to become a bank clerk," said he.

4. If Douche does not change his style before the buyer tells him to, he will be able to sell fifty paintings a year.
5. When the novelist burst out laughing, Pierre Douche frowned and looked at him in astonishment, drawing enormous puffs from his pipe.

IV. Faites une phrase avec chacune des expressions suivantes: à grands frais, au lieu de, jouir de, parvenir à, se souvenir de.

HENRI DUVERNOIS

Henri Duvernois, one of the most Parisian of all writers, was
born in the capital on March 4, 1875, and died there on
January 30, 1937. Beginning his career as secretary to the publisher
Charpentier, Duvernois took up journalism and served as reporter,
dramatic critic, and literary critic for *La Presse, La Patrie,* and *Le Soleil.*
In 1908 he attracted widespread attention by the publication of *Crapotte,*
whose delightfully lifelike heroine appealed to public and critics alike.
Outstanding among the thirty-odd volumes which he published in sub-
sequent years were *Faubourg-Montmartre* (1914), *Edgar* (1919), and
Morte la Bête (1921). In 1933 the French Academy awarded the
Grand Prix de Littérature for his novel, *A l'Ombre d'une femme.*

Although Duvernois became the "smart" novelist of his day and
wrote many successful plays, it is as a short-story writer that he excelled.
The composition of a thousand stories in twenty years necessitated, to
be sure, a formula, but the pattern did not become stereotyped. Duvernois drew his characters from life, and the infusion of realistic details,
true emotion, and genuine sympathy saved him from banality. In a
few swift strokes Duvernois creates an atmosphere or delineates a character. He is able to reveal in a line or two of conversation the dominant
traits of a personality. His experience in the theater taught him how
to express rhythm and movement with classical brevity and simplicity.

Three stories by Duvernois have been included in this volume, since
he was perhaps the most representative *petit conteur* of his day. In-
telligent observation, irony, forbearance, and spontaneity are appropri-
ately blended in his works.

The stories are reproduced by permission of Librairie Ernest Flammarion.

Henri Duvernois

La Femme de chambre

Mme Frarachaux, rencontrant Mlle Florence Bergère, lui dit:

—Tiens![1] comme vous avez mauvaise mine! C'est sans doute la faute de votre chapeau...

Mlle Bergère, vieille fille aigre, portait une triste robe, des 5
gants chocolat et un chapeau de paille citron sous lequel son visage gaufré,[2] à la[3] bouche plissée, semblait vert.

—Je n'ai pas bonne mine, expliqua-t-elle, parce que je souffre toujours de l'estomac.

—Ça vous élance?[4] 10

—Ça me tire[5] et ce que je mange ne me profite pas.

—Vous devriez voir un médecin.

—J'en ai un: le docteur Grèze. Il habite ma maison...

—C'est un grand médecin qu'il vous faudrait!

aigre sour	**paille** f. straw
avoir bonne (mauvaise) mine to look well (poorly)	**plissé** puckered
	triste dreary looking
citron lemon-colored	**vieille fille** f. old maid
femme de chambre f. lady's maid	

1. Dear me!
2. pock-marked (literally, "wafflelike")
3. *à la* with its
4. *Ça vous élance?* Do you feel shooting pains?
5. *Ça me tire* It feels like something pulling me

—Madame Frarachaux, je paye maintenant ma côtelette quatre francs...

—Et après?[6] On ne liarde pas,[7] quand il s'agit de la santé. Vous êtes riche, mademoiselle Bergère...

5   Mlle Bergère frémit. Dire à un avare: «Vous êtes riche!» c'est le toucher au plus sensible,[8] éveiller sa méfiance, le mettre en garde contre un emprunt toujours à craindre...

—Riche! s'écria-t-elle. On voit bien que vous n'avez pas compté avec moi! Qui est-ce qui a répandu ce bruit-là? Riche!
10 Plût au ciel![9]... Je vis sans bonne. J'ai une femme de ménage pendant une heure. Je fais ma popote et je lave ma vaisselle. Mes gants remontent à 1914 et, pour mon chapeau, c'était un store que j'ai chiffonné sur une vieille carcasse. Je regarde à un tramway,[10] mon parapluie n'est plus qu'un trou et je porte
15 des bas de laine! La voilà, ma fortune!

—Je vous parle dans votre intérêt. Vous avez de la bile dans l'œil[11] et vous devenez trop maigre pour que cela soit naturel. Je sais ce que c'est: j'ai aussi souffert de l'estomac et le professeur Chaineton m'a guérie. Je digère tout, ma chère de-
20 moiselle. Voilà ce que j'appelle un génie!

—Qu'est-ce qu'il prend?[12]

avare m. miser	**guérir** to cure
bruit m. rumor	**maigre** thin
carcasse f. (hat) form	**méfiance** f. distrust
chiffonner to drape	**popote** f. cooking
côtelette f. chop	**remonter** to date back
emprunt m. loan	**store** m. window shade
femme de ménage f. cleaning	**trou** m. hole
woman	**vaisselle** f. dishes
frémir to shudder	

6. *Et après?* So what?
7. *On ... pas* One must not be niggardly
8. *au plus sensible* at the most sensitive point
9. *Plût au ciel!* Would to heaven I were!
10. *Je ... tramway* I hate to spend good money on trolley fare
11. *Vous ... œil* Your eyes are jaundiced
12. charge

—Cinquante francs.

—Et en venant de votre part?[13]

—Il n'y a pas à marchander.[14] Je paye cinquante francs comme les autres. Et pourtant je connais Mme Chaineton, la femme du professeur, vu qu'elle[15] est la marraine du petit Cruque, dont le père est l'ami de mon mari. Je vais la voir à son jour,[16] deux ou trois fois par an. Tenez,[17] j'ai même reçu une lettre d'elle hier. Elle me demande si je ne connaîtrais pas une femme de chambre. Elle n'arrive pas à en trouver une convenable. C'est vous dire que nous sommes liées![18] Eh bien! quand je vais consulter le maître, je sors mon billet de cinquante. Le prix a été établi par l'Académie de médecine.

—Le docteur Grèze me prend cent sous...

—Et il vous laisse votre mal! Enfin, chacun se soigne comme il l'entend...[19]

Mlle Bergère resta songeuse. Puis elle prit le bras de Mme Frarachaux.

—Ma chère dame, s'écria-t-elle, il me vient une idée... Vous ne vous moquerez pas de moi?... Que voulez-vous?[20] Quand on est pauvre, il faut être ingénieux... Mme Chaineton cherche une femme de chambre?

—Oui: trois cents francs par mois...

—J'ai bien envie de[21] m'engager chez elle!...

—Pour être soignée à l'œil par le maître!

à l'œil for nothing	**soigner** to care for
convenable suitable	**songeur** thoughtful
marraine f. godmother	**sortir** to pull out
se moquer de to make fun of	

13. *de votre part* upon your recommendation
14. *Il...marchander* There are no cut rates
15. *vu qu'elle* seeing that she
16. *à son jour* on her "at home" day
17. See
18. *C'est...liées* You can see that we're quite intimate
19. *comme il l'entend* to suit himself
20. *Que voulez-vous?* What can you expect?
21. *J'ai...de* I have a good notion to

—Justement!

—Oh! vous, mademoiselle Bergère, la fille d'un architecte-vérificateur!

—Les temps sont durs! Ce n'est pas avec une consultation
5 que je serai guérie. J'ai besoin d'être suivie…[22] Je suis bien
forcée d'astiquer chez moi, de faire mon lit, mes petits raccom-
modages… Je suis peu mondaine… Je ne fréquente personne. Bien entendu, madame Frarachaux, si vous venez voir
votre amie, vous ferez celle qui ne me reconnaît pas.[23] Et je
10 vous demande un secret absolu. Donnez-moi vite l'adresse et
rassurez-vous! Je ne resterai pas femme de chambre toute ma
vie. Sitôt guérie, je reprendrai ma liberté.

Le lendemain, Mlle Bergère se présenta, fut agréée et entra
en service le soir même.[24] Huit jours après, elle prenait son
15 air le plus candide pour déclarer[25] à Mme Chaineton:

—Je dois prévenir madame que je suis forcée d'aller à la
campagne, chez ma mère, pour me soigner.

—Vous êtes malade?

—Oui, l'estomac…

20 —Vous ne savez donc pas que vous servez chez le plus grand
spécialiste de l'estomac! Vous avez de la chance d'être tombée
ici; monsieur s'occupera de vous comme d'une altesse royale.
Alfred! Alfred! Asseyez-vous, Florence, monsieur va vous
examiner ici.

25 Consultation gratuite et mieux que gratuite, puisque cette

agréer to approve	**justement!** exactly!
altesse f. highness	**mondain** interested in society
astiquer to polish	**raccommodage** m. mending
chance f. luck	**secret** m. secrecy
fréquenter to associate with	**vérificateur** m. inspector

22. under continuous observation
23. *vous…pas* you will pretend not to know me
24. *le soir même* that very evening
25. *prenait…déclarer* announced in the most innocent manner

cliente d'un nouveau genre reçut, en outre, tous les médicaments prescrits et un pourboire de vingt francs.

—Qu'elle reste, surtout, qu'elle reste! avait déclaré Mme Chaineton à son mari. C'est une perle! Jamais elle ne sort le soir. Elle «représente» admirablement,[26] elle fait toutes ses liaisons en parlant[27] et elle m'emprunte des livres moraux. Est-elle malade?

—Dans trois mois elle se portera comme un charme! affirma le docteur.

Cette consultation avait lieu en octobre. Trois mois plus tard, Mlle Bergère calcula qu'il lui faudrait songer au chauffage, que son petit logement était glacial et qu'elle passerait mieux l'hiver dans la chambre confortable du magnifique hôtel occupé par le médecin. Quoiqu'elle fût guérie, elle remit donc sa démission[28] à une date ultérieure. Ses fonctions ne lui étaient pas désagréables. Elle parlait finances avec le valet de chambre et la cuisinière, qui s'occupaient beaucoup de leurs placements. Habillée par la maîtresse, elle bénéficiait en outre de chapeaux et de bottines à peine défraîchies. Pourtant, un jour, elle eut une humiliation. Mme Frarachaux, à qui elle ouvrit la porte, ne lui adressa ni un salut, ni un sourire, bien qu'elles fussent seules toutes deux dans l'antichambre. «Une imbécile, pensa Mlle Bergère, dont le mari ne gagne pas dix mille francs par

bénéficier to benefit	**fonction** f. duty
bottine f. shoe	**genre** m. type
chauffage m. heating	**hôtel** m. mansion
cuisinière f. cook	**logement** m. quarters
défraîchi worn	**placement** m. investment
emprunter to borrow	**pourboire** m. tip
en outre in addition	**salut** m. greeting

26. *«représente» admirablement* makes an admirable appearance
27. *fait...parlant* links all her words properly when she speaks. (Liaison is the joining, in oral French, of two adjacent words, one ending in a consonant and the other beginning with a vowel or a mute *h*.)
28. *remit...démission* therefore put off giving her notice

an! Je lui souhaite d'être[29] réduite à la mendicité et de ramasser son pain dans le ruisseau!» Néanmoins, elle jugea que le moment était venu de reprendre son rang de dame. Elle s'ennuierait bien un peu dans les commencements… La maison était très gaie, très animée… Maintenant qu'elle digérait à ravir,[30] elle bénéficiait de reliefs succulents… Elle prétexterait un héritage. Ainsi sa sortie serait digne. Et elle ajouterait: «D'ailleurs, je n'étais pas née pour cet emploi: je suis fille d'un architecte-vérificateur…»

Huit heures. Les clients sont partis. Mlle Bergère frappe d'un doigt respectueux à la porte du cabinet de travail.

—Entrez! crie une voix bienveillante. Ah! c'est vous, Florence?…

Mlle Bergère jette autour d'elle un coup d'œil ému. La lampe à huile verse une pâle clarté sur la table où des instruments mystérieux traînent parmi des paperasses… Elle est venue là bien souvent exposer ses maux guéris d'avance par le sourire optimiste du maître.

—Qu'y a-t-il, ma bonne Florence?

Quoi! Quitter tout cela? Pour quelle fâcheuse et coûteuse liberté? Pour retrouver le docteur Grèze, qui a l'air de douter de lui-même, de sa science et de ses drogues, et les factures à

bienveillant kindly	**paperasses** f. old papers
clarté f. light	**prétexter** to allege (as a pretext)
coup d'œil m. glance	**ramasser** to pick up
coûteux expensive	**rang** m. status
digne dignified	**reliefs** m. pl. leavings (from the
ému wistful	table)
s'ennuyer to be bored	**retrouver** to go back to
fâcheux troublesome	**ruisseau** m. gutter
facture f. bill	**sortie** f. departure
héritage m. inheritance	**succulent** tasty
huile f. oil	**traîner** to lie about
mendicité f. begging	

29. *Je…être* I hope that she is
30. *qu'elle…ravir* that her digestion was wonderful

payer, et le terme, et la maigre côtelette! C'en est fait:[31] Mlle
Bergère renonce à sa démission, à son histoire d'héritage, à la
considération de Mme Frarachaux, et elle murmure:

—C'était pour expliquer à monsieur que je sens encore
comme une brûlure...[32]   5

maigre puny   terme m. rent

31. *C'en est fait* It's all over
32. *comme une brûlure* a sort of burning sensation

EXERCICES

I. Répondez aux questions suivantes:

1. Quelles sont les idées de Mme Frarachaux sur la santé?
2. Quelles sont les relations entre Mme. Frarachaux et les Chaineton?
3. Pourquoi Mme Chaineton a-t-elle une très bonne opinion de Mlle
   Bergère?
4. Que pense Mme Frarachaux de l'avarice de Mlle Bergère? Comment
   a-t-elle humilié son amie?
5. Quelles gages Mlle Bergère reçoit-elle chez Mme Chaineton? De
   quels autres appointements bénéficie-t-elle?
6. Comparez le docteur Grèze et le docteur Chaineton.

II. Faites le portrait de Mlle Bergère: son costume, sa maladie, sa
manière de vivre chez elle, sa vie chez les Chaineton, sa grande
décision.

III. Voici les noms de trois célèbres avares qu'on trouve dans la grande
littérature: Grandet, Harpagon, Scrooge. Quels auteurs ont créé ces
personnages? Dites ce que vous savez des œuvres où ils ont paru.
Mentionnez quelques avares de la vie réelle dont vous avez lu l'histoire
dans les journaux.

IV. Traduisez les phrases suivantes:

1. Et après? On ne liarde pas, quand il s'agit de la santé.

2. Quoiqu'elle fût guérie, elle remit donc sa démission à une date ultérieure.

3. Elle bénéficiait en outre de chapeaux et de bottines à peine défraîchies.

4. Sous le chapeau de paille citron son visage gaufré, à la bouche plissée, semblait vert.

5. Je lui souhaite d'être réduite à la mendicité et de ramasser son pain dans le ruisseau.

6. Mlle Bergère frémit. Dire à un avare: Vous êtes riche! c'est le toucher au plus sensible, éveiller sa méfiance.

7. —Le docteur Grèze me prend cent sous. —Et il vous laisse votre mal. Enfin, chacun se soigne comme il l'entend.

8. Quoi! Quitter tout cela? Pour quelle fâcheuse et coûteuse liberté? Pour retrouver les factures à payer, et le terme, et la maigre côtelette! C'en est fait!

V. Choisissez dans la colonne B l'équivalent anglais de chaque mot de la colonne A.

A	B		A	B
tirer	1. pick up		paille	1. oil
frémir	2. polish		laine	2. straw
guérir	3. spread		trou	3. gutter
répandre	4. shudder		bas	4. wool
marchander	5. borrow		huile	5. rank
astiquer	6. pull		méfiance	6. stocking
prévenir	7. fear		pourboire	7. bill
ramasser	8. cure		facture	8. distrust
craindre	9. notify		ruisseau	9. hole
emprunter	10. bargain		rang	10. tip

VI. Traduisez les phrases suivantes:

1. Even if Mlle. Bergère came upon her friend's recommendation, she would have to pay the doctor fifty francs.

2. What can you expect? This sour old maid is miserly. She wants the master to take care of her for nothing.

3. Of course, Mlle. Bergère entered service that very evening. A week

later, she notified the doctor's wife that she was suffering from stomach trouble.

4. Let her stay! In three months she'll be as fit as a fiddle. Besides, she's a better maid than the one we had last year.

5. Although Mlle. Bergère is cured, she does not want to return to her small quarters. There she will have to think of the heating and the rent.

VII. Faites une phrase avec chacune des expressions suivantes: avoir bonne mine, avoir envie de, avoir de la chance, se moquer de, s'occuper de.

Henri Duvernois

Le Passé

Halte! s'écria Lucien Huchard, nous sommes devant ma maison natale.

—C'est ta maison natale? Vois-tu la place de la future plaque de marbre? fit Guimberteaux: «Ici est né Lucien-Jérome Huchard, compositeur de musique, 1865...» Car tu 5
l'auras, ta plaque...

—Je m'en fiche[1] absolument. Un graphologue a découvert dans mon écriture que je pratiquais «la rumination du moi».[2] La graphologie est la plus inexacte des sciences exactes. Ce monsieur s'est trompé. Si je songe à moi quelquefois, ce n'est 10 pas à mon moi d'aujourd'hui, mon triste moi, chauve, ventru, réalisé en caricature,[3] mais au gosse que j'étais ici, il y a quarante-quatre ans...un gosse en tablier noir et chaussé de bottines à clous... Un gosse fou de gaieté, bien qu'il n'y eût pas toujours de quoi...[4] Nous habitions là-haut... Papa, maman, 15 ma sœur Louise...tous disparus... Je reste seul. Le jour

bottine à clous f. hobnailed boot	**graphologue** m. handwriting
chaussé de wearing	expert
chauve bald	**plaque** f. slab
gosse m. youngster	**tablier** m. smock
	ventru potbellied

1. *Je m'en fiche* I don't care a hang
2. *je...moi* I am too introspective
3. *réalisé en caricature* a caricature of my former self
4. *de quoi* reason to be (happy)

des morts[5] je me redis, tout haut, les chers noms que je ne puis plus prononcer que dans la solitude... Un vieil enfant[6] qui rêve au coin de son feu et qui murmure: «Papa...maman... Louise» pour la douce musique que cela fait à ses oreilles, pour
5 compenser les mots grotesques, cruels et idiots dont est tissée[7] la conversation quotidienne d'un homme qui n'est ni plus bête, ni plus méchant qu'un autre...

—Ainsi tu es né dans le quartier Montmartre; tu es un enfant du neuvième[8]... Ecoute, vieux, je ne voudrais pas te désobli-
10 ger, mais elle est un peu triste, ta maison...

—Si tu savais ce qu'elle m'a paru belle![9] La cour, surtout. J'y jouais, mon ami, avec le fils de la concierge[10] et le fils du quincaillier. Il y avait une voiture à bras, la voiture à bras du quincaillier. Nous montions dedans. Nous restions assis,
15 bien sages, dans l'attente d'un départ qui ne s'effectuerait jamais... Avec une auto lancée à soixante,[11] je vais moins vite aujourd'hui que je n'allais[12] autrefois, dans cette voiture à bras qui ne bougeait point, avec ses brancards au repos. Rien n'est

attente f. expectation	**méchant** wicked
bête stupid	**quincaillier** m. hardware
bien sage well behaved	merchant
brancard m. shaft	**quotidien** daily
désobliger to offend	**voiture à bras** f. pushcart
s'effectuer to take place	

5. *Le...morts* On All Souls' Day (November 2)
6. *Un vieil enfant* Despite my age, I am like a child
7. *dont est tissée* which are woven into
8. The word *arrondissement* (ward) has been omitted here.
9. *ce...belle* how beautiful it seemed to me
10. The concierge, who serves as caretaker and doorkeeper, occupies a "loge" at the entrance of a French apartment house, where she observes the comings and goings of the tenants and their visitors. From her quarters she controls the door by means of a pushbutton. At all hours of the day and night she must answer the summons of *"Cordon, s'il vous plaît!"* "Door, please!"
11. *lancée à soixante* traveling at 60 kilometers (38 miles) an hour
12. A verb which completes a comparison after *plus...que* or *moins...que* is usually preceded by *ne*.

changé. Ce sont les mêmes vitraux bleus et rouges à l'entrée
de l'escalier; la même odeur de cave et de côtelette... Et, tiens,
la boutique du quincaillier est toujours là, avec, Dieu me
pardonne, le même nom sur la devanture: Ponestier.

—Ça te rajeunit. Viens. On nous bouscule et j'ai froid... 5
—Laisse-moi... Je vais me consoler ici de mon quartier:[13]
un cimetière pour riches. Je vois poindre[14] le moment où nous
ne nous comprendrons plus. Bonsoir.

—Il avait bien raison de dire que tu ruminais, ce monsieur!
Bonsoir, original![15] 10

Le magasin de quincaillerie est resté tel quel,[16] avec ses
beaux outils brillants qu'une électricité parcimonieuse éclaire
comme les éclairait jadis un avare bec de gaz... Ponestier...
Un homme sort de la boutique, verse dans le ruisseau le contenu d'une cuvette et rentre avec une hâte frileuse. C'est un 15
fort gaillard aux cheveux gris, éclatant de[17] la fausse santé
qu'affichent parfois les sédentaires. Et, soudain, un flot de
souvenirs inonde la mémoire de Huchard... Camille! C'est
Camille! Le petit Ponestier avec qui il jouait jadis. Il était
déjà très grand; il avait ces joues trop rouges, ces oreilles écar- 20
lates... Huchard n'hésite plus. Il pénètre dans la boutique.

afficher to display	**frileux** chilly
avare miserly	**gaillard** m. fellow
bec de gaz m. gas jet	**outil** m. tool
bousculer to jostle	**parcimonieux** frugal
brillant shining	**rajeunir** to make young again
cave f. cellar	**ruisseau** m. gutter
contenu m. contents	**sédentaire** m. inactive person
cuvette f. basin	**tiens** look
devanture f. front	**vitraux** m. pl. stained-glass
écarlate scarlet	windows
fort robust	

13. *de mon quartier* for the district where I am living now
14. dawning, coming
15. you funny fellow, you!
16. *tel quel* just as it was
17. *éclatant de* radiating

—Je voudrais une paire de ciseaux.

—Pour les ongles? Pour le bureau? Pour la cuisine?

—Pour le bureau... N'êtes-vous pas Camille Ponestier!

Camille Ponestier s'effare.

5 —Je m'appelle Camille, en effet...

—Vous ne me reconnaissez pas? C'est bien naturel. Depuis le temps![18] Je suis Lucien Huchard... Cela ne vous dit[19] rien!... Mes parents habitaient la maison... Nous avons déménagé vers 1876... Je me souviens fort bien de vous.

10 Nous jouions tous deux...nous faisions les voyageurs,[20] dans la voiture à bras...

—Possible... On a toujours eu une voiture... Je peux vous montrer de bons ciseaux à onze francs, des meilleurs à quinze francs, et des extras à dix-huit francs...

15 —Donnez-moi ce qu'il y a de mieux.

Camille Ponestier fait le paquet, reçoit le billet de vingt francs, se gratte la tête et s'écrie:

—Hé, papa! Tu peux voir une minute?

Il ajoute:

20 —J'ai encore papa et maman aussi... Ils se rappelleront mieux, eux autres...[21] Maman!... Le père a soixante-dix-neuf ans. Il est un peu sourd...

Des pas ouatés glissent sur le carrelage. Puis apparaissent deux fantômes d'arrière-boutique: un petit vieux à favoris

25 blancs, une petite vieille à moustache encore noire. Camille

arrière-boutique f. back room
carrelage m. tile flooring
ciseaux m. pl. scissors
déménager to move away
s'effarer to become frightened

favori m. side whisker
gratter to scratch
ongle m. finger nail
ouaté padded
sourd deaf

18. *Depuis le temps!* It's so long!
19. means
20. *faisions les voyageurs* pretended to be travelers
21. *eux autres* they will

Ponestier est devant eux tel qu'il était en 1876: humble et bégayant.

—Voilà,[22] papa: c'est ce monsieur qui prétend...enfin qui dit[23] qu'il habitait la maison, il y a des temps infinis... Il s'appelle... Comment déjà?[24]

—Huchard.

—Huchard! cria le fils à l'oreille du sourd.

Mme Ponestier hoche la tête.

—Par exemple![25]... Dis donc,[26] Adolphe: Huchard!... Les gens du cinquième![27]

—Oh! Huchard... Ah! Ah! Huchard!...ricana le vieux.

Un silence terrifiant s'établit.[28] Mme Ponestier court à son tiroir-caisse et donne un double tour de clef. Derrière le comptoir, M. Ponestier père mâchonne de vieilles rancunes sur ses gencives molles.[29] Camille Ponestier fronce les sourcils à l'adresse de l'intrus, comme il les fronçait jadis, quand Lucien grimpait, sans sa permission, dans la voiture à bras. L'instant

---

à l'adresse in the direction
bégayer to stammer
froncer les sourcils to frown
grimper to climb
hocher to nod

intrus m. intruder
prétendre to claim
ricaner to sneer
tiroir-caisse m. cash drawer

---

22. Listen
23. *enfin qui dit* well, he says
24. *Comment déjà?* What was it now?
25. *Par exemple!* Well, well!
26. *Dis donc* I say
27. sixth floor. In France the first, or ground, floor is called *le rez-de-chaussée.* The second floor is thought of as the first floor above the *rez-de-chaussée* and is therefore called *le premier étage;* similarly, the third floor is called *le deuxième étage;* etc.
28. reigns
29. *mâchonne...molles* mutters to himself as he chews over some ancient grudge with his flabby gums

est solennel. La mère, du haut de sa caisse, préside le tribunal. Camille Ponestier, timide et résolu, joue le rôle modeste et utile du garde municipal qui empêche le prévenu de s'évader. Le patriarche, organe du ministère public,[30] a la parole.[31]

5 —Eh! bien, tonne-t-il, je ne vous félicite pas!... Partir sans laisser d'adresse! Serviteur![32] Vous êtes partis sans laisser d'adresse! Et Mme Huchard portait des robes de soie!

—Et des «visites» soutachées,[33] précise Mme Ponestier, ulcérée encore à cette évocation.

10 —M. Huchard avait un binocle.[34] Quand il sortait: Psitt! un fiacre! La note en souffrance[35] se montait à près de cent cinquante francs. Voilà ce que c'est que la famille Huchard. Elle est partie en me devant cent cinquante francs. Et qu'est-ce que vous venez faire ici? Hein? Qu'est-ce qu'il y a encore?

15 —Je viens payer, répondit simplement Lucien.

—Camille! glapit Mme Ponestier, le livre de 1876!

Camille se précipite, déférent et congestionné. Et Lucien Huchard songe à ce déménagement qui avait l'air d'une fuite, aux commissions dont on le chargeait chez les fournisseurs

caisse f. cashier's desk	**glapir** to screech	
charger to entrust	**hein** huh	
commission f. errand	**se monter** to amount	
congestionné red-faced	**préciser** to state precisely	
déférent respectful	**prévenu** m. prisoner	
s'évader to escape	**psitt** pst	
évocation f. recollection	**solennel** solemn	
fiacre m. cab	**tonner** to thunder	
fournisseur tradesman	**tribunal** m. court	
garde municipal m. police officer	**ulcéré** embittered	

30. *organe ... public* mouthpiece of the authorities
31. floor
32. *Je suis votre serviteur!* No, thank you! (M. Huchard is ironical.)
33. *des «visites» soutachées* toppers trimmed with braid
34. pince-nez (eyeglasses held in place on the nose by a spring)
35. *note en souffrance* outstanding account

impayés: le papetier qui était bossu, le boucher qui était accommodant, la mercière féroce, la crémière,[36] si jolie et qui
grignotait un bout de roquefort[37] comme elle eût fait d'un biscuit, le petit doigt levé...

—Cent quarante-neuf francs soixante-quinze! annonce Mme ⁵
Ponestier. Je rédige la facture...[38]

C'est le dernier lien qui rattache le pauvre mort aux hu-
mains: une note pour fournitures livrées en 1876. Et tout à
coup l'émotion de Lucien gagne Camille d'abord, qui sourit
à son camarade. Il le reconnaît maintenant. Il peut le recon- ¹⁰
naître, puisqu'il paye. La vieille grimace avec bienveillance.[39]
Et enfin le vieux déclare en ouvrant la porte: «Le passé est
passé... Le présent est à votre honneur. A vous revoir,[40] monsieur Huchard», tandis que Lucien, toute colère tombée, ra-
mené à l'humilité de jadis, sort sur un: «Bonsoir, messieurs ¹⁵
dames!» où il retrouve sa voix d'enfant, quand son père et sa
mère lui demandaient—et pour cause![41]—d'être bien poli avec
les fournisseurs...

biscuit m. cracker	**grignoter** to nibble
bossu hunchbacked	**grimacer** to grin
fournitures f. pl. supplies	**lien** m. bond
gagner to seize	**papetier** m. stationer

36. *mercière, crémière.* Owners of small shops. The former sells thread,
    needles, pins, etc.; the latter, dairy products.
37. Roquefort cheese. First made in Roquefort, France, this cheese has a blue
    mold which gives it a strong, characteristic flavor.
38. *Je...facture* I'll draw up the bill
39. *avec bienveillance* amiably
40. *A vous revoir* Hope to see you again
41. *et pour cause* and for good reason

EXERCICES

I. Répondez aux questions suivantes:

1. Où et quand Lucien Huchard est-il né?
2. Décrivez sa maison natale.
3. Que savez-vous de sa famille?
4. Comment Lucien expliquait-il l'observation du graphologue?
5. Quel était le jeu favori du petit Lucien Huchard?
6. Pourquoi est-ce que Lucien est entré dans le magasin de quincaillerie?
7. Comment le quincaillier l'a-t-il reçu?
8. Qu'est-ce que Lucien a acheté? A quel prix?
9. Décrivez les parents de Camille Ponestier.
10. Pourquoi Mme Ponestier a-t-elle couru tout de suite à son tiroir-caisse?
11. Comment les Huchard étaient-ils partis du quartier en 1876?
12. Quelle a été l'attitude de Camille pendant cette entrevue?
13. De quelle manière Lucien a-t-il pris congé des Ponestier?

II. Traduisez les phrases suivantes:

1. Je songe au gosse que j'étais ici ... un gosse en tablier noir et chaussé de bottines à clous.
2. Des pas ouatés glissent sur le carrelage. Puis apparaissent deux fantômes d'arrière-boutique.
3. C'est un fort gaillard aux cheveux gris, éclatant de la fausse santé qu'affichent parfois les sédentaires.
4. Et, tiens, la boutique du quincaillier est toujours là, avec, Dieu me pardonne, le même nom sur la devanture.
5. Je vais moins vite aujourd'hui que je n'allais autrefois, dans cette voiture à bras qui ne bougeait point, avec ses brancards au repos.
6. Camille fronce les sourcils à l'adresse de l'intrus, comme il les fronçait jadis, quand Lucien grimpait, sans sa permission, dans la voiture à bras.

III. Traduisez les phrases suivantes:

1. Lucien used to play in the courtyard every day with the doorkeeper's son. They would climb into the pushcart and sit there for hours without moving.
2. Lucien was not mistaken. His old friend Camille had just come out of the shop. But Camille did not remember the music composer.
3. Old Ponestier, who was seventy-nine years old, had been living in the same street for more than fifty years.
4. The Huchards moved out after occupying the sixth floor for a long time. They went away owing almost a hundred and sixty francs.
5. Guimberteaux left his friend, because the people were jostling him and he was cold. Lucien entered the shop as soon as he had gone.

IV. Faites une phrase avec chacune des expressions suivantes: jadis, prétendre, tandis que, se tromper, tiens!

GEORGES AURIOL

 Georges Auriol (1863–1938) began his literary career with the publication of two collections of songs, which met with popular favor: *Les Rondes du valet de carreau* (1887) and *Sur le pont d'Avignon* (1889). These were followed by several volumes of *contes humoristiques,* such as *Histoire de rire* (1892) and *J'ai tué ma bonne* (1894). Auriol also distinguished himself in other fields. In 1902, 1909, and 1924 he published his three *Livres de cachets et monogrammes.* He displayed great originality as a book designer and created a new form of type which bears his name.

"L'Oncle d'Amérique," though its action takes place in Provence rather than in Normandy, will remind the reader of Maupassant's "Mon Oncle Jules," already familiar to many American students of French.

Permission to publish the story has been secured through M. G. de la Chapelle, Société des Gens de Lettres, New York.

Georges Auriol

L'Oncle d'Amérique

Le poste de la Borne-Blanche est perché en haut de l'allée Royale, face au Midi. De ses lucarnes, il regarde au loin le Château, petit amas de dominos dans la verdure. Il voit venir, menus comme des fourmis, les bûcherons et les grappilleurs de bois mort sur le sentier clair qui grimpe vers lui, en zigzaguant 5 dans la fougère. Trois sangliers à la queue leu leu virent au gré du vent sur son toit d'ardoises; un bouquet de frênes lui sert de pavillon. Le poste de la Borne-Blanche est le plus riant de la forêt.

Le garde Boette demeure là avec sa femme, ses quatre petits, 10 Stop son chien, ses trois vaches brunes et son bourricot Joseph.

Boette est un bon garçon. La gibecière sur la hanche, sa

à la queue leu leu in single file
allée f. avenue
amas m. pile
ardoise f. slate
au gré at the pleasure
bon garçon m. good fellow
bouquet m. clump
bourricot m. donkey
bûcheron m. woodcutter
clair open
en haut at the top
fougère f. bracken
fourmi f. ant
frêne m. ash tree

garde m. forester
gibecière f. game bag
grappilleur m. gleaner
grimper to climb
hanche f. hip
lucarne f. attic window
menu tiny
Midi m. South
pavillon m. gate lodge
poste m. forester's station
riant charming
sanglier m. wild boar
sentier m. path
virer to turn

grosse canne pendue au bras, il est en route dès le petit matin,[1]
surveillant les coupes, marquant les arbres, visitant les plants
nouveaux. Joyeux au départ, il revient plus joyeux encore, car
il prétend éventer de trois kilomètres au moins le parfum de
5 la soupe aux choux que lui prépare sa bonne ménagère.

Lorsque Boette reste à la maison, c'est pour bêcher son jardin,
fendre du bois, faucher le pré ou appareiller les ruches. Parfois,
des promeneurs passent à qui l'on vend pour deux sous une
tasse de lait, une tartine de pain bis;[2] ou bien, les paysans reve-
10 nant du marché s'arrêtent un instant. Ils sont les bienvenus.
Avec M. Pierre ou Jacques tout court,[3] Boette fait volontiers la
causette. Seule, la visite du facteur lui est importune. Du plus
loin[4] qu'il l'aperçoit: «Hé! crie-t-il inquiet, c'est pas[5] une lettre
de là-bas? —Non, répond l'autre; non, pas pour cette fois
15 encore...»

Vous saurez[6] que défunt le père Boette[7] avait un frère, et que
ce frère est allé chercher fortune en Amérique. (On trouve de
l'or en cassant des cailloux, dans ce pays-là, paraît-il.) Combien
de fois, quand il était gamin, combien de fois Boette n'a-t-il

appareiller to set up	**faucher** to mow
bêcher to dig	**fendre** to split
bonne ménagère f. thrifty house- wife	**gamin** m. youngster
	importun unwelcome
caillou m. pebble	**plant nouveau** m. sapling
casser to break	**pré** m. meadow
coupe f. cutting (of trees)	**prétendre** to claim
éventer to smell	**ruche** f. bee hive
facteur m. postman	**surveiller** to look after
faire la causette to have a chat	

1. *dès...matin* at the crack of dawn
2. *tartine...bis* slice of whole-wheat bread, spread with butter or jam
3. *Jacques tout court* just plain John
4. *Du plus loin* As soon
5. *c'est pas: ce n'est pas*
6. *Vous saurez* Let the reader be informed
7. *défunt...Boette* Boette's late father

pas entendu commenter[8] les prouesses du fameux oncle Victor!
«Bon! bon! mon gaillard!»[9] Il récolte du foin pour te garnir les
bottes,[10] celui-là!... Espère un peu...»[11]

Et Boette, au lieu d'espérer, se désespère.

Loin de souhaiter la mort de quiconque, il redoute, entre 5
toutes[12] nouvelles, celle du décès de cet oncle fabuleux.

«Qu'est-ce qu'on ferait, gémit-il, si jamais on devenait riches?
Il faudrait quitter la Borne-Blanche et descendre en ville,
comme font les loups par les grands[13] hivers. Plus de[14] rosée
sur les guêtres, plus de merles dans le verger! Je n'entendrais 10
plus les écureuils se moquer de moi du haut de leurs belvédères... Je ne verrais plus la bruyère rosir jour à jour, ni les
cèpes déployer leurs grands parasols odorants. Adieu le bon
temps:[15] les enfants se feraient pâles comme des feuilles mortes
et je n'aurais même plus de banc pour fumer ma pipe au clair 15
de la lune.»

Néanmoins Boette fait bonne figure au «piéton», et à l'occasion lui offre à boire. Ils se sont connus à l'école.

à l'occasion now and then	**guêtre** m. leggings
belvédère m. lofty vantage point	**merle** m. blackbird
bruyère f. heather	**odorant** sweet smelling
cèpe m. large mushroom	**piéton** m. rural mail carrier
déployer to unfurl	**prouesse** f. exploit
se désespérer to be in despair	**redouter** to dread
écureuil m. squirrel	**rosée** f. dew
faire bonne figure à to receive	**rosir** to turn pink
hospitably	**souhaiter** to desire
gémir to groan	**verger** m. orchard

8. tell of
9. *Bon ... gaillard!*   Yes, siree, old fellow!
10. *Il ... bottes*   He is working hard to feather your nest (literally, "He is
    making hay to stuff in your boots")
11. *Espère un peu*   Just keep hoping
12. *entre toutes*   above all other
13. long
14. *Plus de*   No more
15. *le bon temps*   the good old days

...Stop, une fois qu'ils se rafraîchissaient ainsi en baliver-
nant, signala d'un coup de gueule la présence d'un vieux trimardeur dans la cour.

«C'est bien ici M. Boette?

5 —Mais oui... Entrez donc, camarade, vous boirez un coup
avec nous: d'une chaleur pareille,[16] la bouteille n'a pas de
maître.»[17]

L'homme cueillit un escabeau et avoua qu'une croûte de pain
lui ferait quasiment plus de bien qu'un verre de vin. Sur
10 quoi,[18] Boette apporta la miche et le fromage:

«A la vôtre!»[19]

—Y a pas[20] de déshonneur à trinquer avec un mendiant,
pas[21] vrai? dit le vieux. Du moment que l'honneur ne s'est
pas envolé, tout va bien.

15 —Bien sûr. Et alors, vous venez de loin, comme ça,[22] camarade?

—Encore assez,[23] encore assez...»

Mais le bonhomme avait autre chose à dire. Il dut essuyer
longuement son couteau sur sa cuisse pour se donner du cou-
20 rage. Le couteau fermé, il hasarda,[24] bégayant un peu:

---

baliverner   to talk idly
bégayer   to stammer
boire un coup   to have a drink
coup de gueule m.   growl
cueillir   to pick up
cuisse f.   thigh
du moment que   so long as
s'envoler   to take wings

escabeau m.   stool
essuyer   to wipe
miche f.   loaf of bread
quasiment   almost
signaler   to announce
trimardeur m.   tramp
trinquer   to take a glass of wine

---

16. *d'une chaleur pareille*   in heat like this
17. *n'a pas de maître*   can't be beat
18. *Sur quoi*   Whereupon
19. *A la vôtre: A votre santé*
20. *Y a pas: Il n'y a pas*
21. *pas: n'est-ce pas*
22. *comme ça*   do you
23. *Encore assez*   Far enough
24. ventured to say

«En ce cas, c'est bien vous Alphonse Boette, le fils à feu Boette,[25] le charron?

—Certainement. Et pourquoi?

—C'est qu'y s'pourrait bien qu'on soit un peu parents, ensemble.[26]

—Comment ça?

—Le nom de Victor ne vous est pas inconnu, sans doute? Eh bien, Victor,—présent—c'est moi. Vot'[27] oncle d'Amérique, quoi!»

Dommage que vous n'ayez pas vu Boette bondir à ces mots, embrasser le chemineau, danser, appeler sa femme et demander une nouvelle bouteille (et du vieux,[28] cette fois!)—vous en auriez encore la cervelle tout ensoleillée à l'heure qu'il est.[29]

«Satané facteur, cria-t-il en riant, tu vois: l'oncle a mieux aimé venir lui-même! Il n'a pas eu confiance en toi, maudit traîne-la-jambe![30] Ce n'est pas un paresseux, lui! Il a avalé[31] plus de kilomètres pour venir ici que toi dans toute ta mâtine de carrière.[32] Aussi,[33] regarde-moi cette mine: C'est-y franc?[34] Sûr qu'il a[35] encore plus de vingt ans à dévider.[36] Vingt ans? Qu'est-ce que je dis!... Trente ans, quarante ans! Et c'est ici

---

charron m.   wheelwright
chemineau m.   tramp
mine f.   face

paresseux m.   lazy fellow
satané   confounded

---

25. *à feu Boette*   of the late Boette
26. *C'est ... ensemble*   Could be that we're somewhat related
27. *Vot'*: Votre
28. *du vieux: du vieux vin*
29. *vous ... est*   it would rejoice your heart even now (literally, "you would still have your brain all bathed in sunshine")
30. *traîne-la-jambe*   slowpoke
31. *Il a avalé*   He has covered (literally, "He has swallowed up")
32. *mâtine de carrière*   wretched career
33. So
34. *C'est-y franc?*   Isn't he a healthy-looking specimen?
35. *Sûr qu'il a: Il a sûrement*
36. *à dévider*   to live (literally, "to unwind")

qu'il les dévidera,[37] bon sang,[38] ou je ne suis plus un homme!
Je le fais prisonnier. Ah!...il m'a donné assez de tourment,
ce bougre-là, avec son maudit héritage. Faut[39] que je me
venge!»

5   Depuis lors, il y a deux pipes, les soirs d'été, qui encensent la
lune au banc de la Borne-Blanche,—deux pipes de milliardaires.

bougre m. fellow
encenser to burn incense to

maudit cursed
milliardaire m. billionaire

37. will spend
38. *bon sang* hang it all
39. *Faut: Il faut*

EXERCICES

I. Répondez aux questions suivantes:

1. Quels étaient les onze membres de la famille Boette?
2. Que faisait le garde Boette dans les bois pendant la journée?
3. Pourquoi est-ce que Boette était content de revenir chez lui le soir?
4. Que faisait-il quand il restait à la maison?
5. Pourquoi est-ce que les promeneurs s'arrêtaient souvent chez Boette?
6. Pourquoi Boette s'inquiétait-il dès qu'il apercevait le facteur?
7. Pourquoi ne voulait-il pas devenir riche?
8. Décrivez l'arrivée de l'étranger.
9. Résumez la conversation de Boette avec le chemineau.
10. De quelle manière Boette a-t-il reçu la nouvelle que ce vieux mendiant
    était son oncle Victor?

II. Choisissez l'expression anglaise que convient.

grimper 1. wind 2. climb 3. broil 4. grip 5. grind
bêcher 1. dig 2. stammer 3. cut 4. jump up 5. drink
fendre 1. fend 2. feign 3. refrain 4. mow 5. split
prétendre 1. pretend 2. extend 3. claim 4. lend 5. squeeze
casser 1. cash 2. smell 3. chase 4. break 5. order
gémir 1. groan 2. whisper 3. announce 4. freeze 5. annoy
redouter 1. doubt 2. suspect 3. doubt again 4. repel 5. fear

souhaiter 1. supervise 2. wish 3. sweat 4. sniff 5. announce

bégayer 1. stammer 2. brighten 3. beg 4. dig 5. talk nonsense

essuyer 1. try 2. dry 3. steal 4. unfurl 5. go away

III. Traduisez les phrases suivantes:

1. Trois sangliers virent au gré du vent sur le toit d'ardoises.
2. On trouve de l'or en cassant des cailloux, dans ce pays-là, paraît-il.
3. Il n'y aurait plus de rosée sur les guêtres, plus de merles dans le verger.
4. Je n'entendrais plus les écureuils se moquer de moi du haut de leurs belvédères.
5. Les bûcherons, menus comme des fourmis, prennent le sentier qui traverse la forêt.
6. La gibecière sur la hanche, il est en route dès le petit matin, surveillant les coupes dans les bois.
7. Il prétend éventer de très loin le parfum de la soupe aux choux que prépare sa ménagère.
8. Il reste à la maison pour bêcher son jardin, fendre du bois, faucher le pré, ou appareiller les ruches.
9. Les paysans revenant du marché sont les bienvenus; Boette fait volontiers la causette.

IV. Traduisez le passage suivant:

From the attic windows one can see the woodcutters coming up the path toward the house where the forester Boette lives with his family. It is the most charming forester's station in the south of France. The peasants often stop there on their way back from market. They like to sit in the yard, or under the clump of ash trees which serves as a gate lodge. Sometimes Boette sells them milk, or bread, or cheese. Visitors are always welcome, for Boette is a good fellow, and likes to chat with everyone, especially with his old buddy, the postman. But the latter doesn't take any milk. He prefers wine, and is always ready to have a drink with the forester. Boette loves this simple life in the country. He dreads the news that his famous uncle has left him a lot of money. Boette has no desire at all to become a millionaire. He is quite content to stay in the woods forever—with his good wife, his children, his donkey, and his dog.

V. Écrivez en 25 lignes un résumé de "L'Oncle d'Amérique."

L'Oncle d'Amérique 95

LOUIS DE ROBERT

Born in Paris in 1871, Louis de Robert became a journalist at the age of nineteen, publishing his first novel, *Un Tendre,* in 1894, when he was twenty-three years old. He then composed a succession of novels, which did not attract wide public acclaim, but were welcomed by a small and highly appreciative audience. His masterpiece, *Le Roman du malade,* won the Femina-Vie Heureuse Prize in 1911. The French Academy officially "crowned" his literary works.

Louis de Robert's novels of analysis reveal his keen interest in the hidden conflicts of human lives. His subtle art discloses the secrets of the feminine heart without recourse to the technical jargon of the modern psychologist. In "La Demande" Louis de Robert once again displays his understanding of the life of introspection, as he records the doubts and fears of a sensitive young man in love.

Permission to publish the story has been secured through M. G. de la Chapelle, Société des Gens de Lettres, New York.

Louis de Robert

La Demande

Les forces de l'été décroissent.[1] Il vieillit; il se meurt dans tous les jardins, dans les arbres moins touffus où les oiseaux se taisent, dans chaque feuille qui se creuse un peu plus le soir, dans les fleurs clairsemées et pâlies, dans le soleil qui chaque jour se dédore, au cœur mélancolique des hommes.

En cet après-midi de fin septembre, Valentin arpente fiévreusement les rues de Saint-Jean-de-Luz.[2] Il traverse la place Louis XIV, passe devant la maison de l'Infante,[3] longe le port où se mirent les maisons du village de Ciboure et revient sur ses pas. Il compte les minutes; il calcule qu'en ce moment la voiture qui contient l'imposant M. Marcereaux doit le déposer sur la route de Guétary au seuil de la villa l'Ermitage. Dans un instant, il sera introduit auprès de M. et de Mme Le Goffier

arpenter to stride along	**se mirer** to be reflected
auprès into the presence	**pâli** faded
clairsemé scattered	**port** m. harbor
se creuser to become wrinkled	**revenir sur** to retrace
se dédorer to become less golden	**seuil** m. threshold
fiévreusement impatiently	**se taire** to be silent
longer to walk along	**touffu** leafy

1. *Les . . . décroissent* Summer's strength is waning
2. A coastal summer resort in the southwestern corner of France
3. Infanta (a daughter of the king of Spain, or of Portugal, or the wife of one of their younger sons)

et, après quelque préambule de politesse,[4] il demandera pour son fils la main de Mlle Germaine Le Goffier.

Valentin a remonté la rue Gambetta; il gagne le boulevard Thiers, la route d'Aïce-Errota, ne sachant où diriger ses pas. 5 Saint-Jean-de-Luz se vide.[5] Chaque jour, les omnibus vont à la gare chargés de voyageurs et de bagages: M. Le Goffier regagnera dans une semaine, à Pau,[6] son étude de notaire. L'idée d'être bientôt séparé de Germaine a donné le courage d'une décision à ce perpétuel irrésolu de Valentin.[7] Il marche pour 10 tromper son attente.[8] Le soleil affaibli passe à travers les branches dégarnies des arbres et vient surprendre de sa brève illumination[9] les mousses qui en tapissent les troncs. En se déposant[10] paresseusement, ça et là, sur le sol, il semble un poète qui répand nonchalamment sur la page des images éblouissan-15 tes. Tout incline au silence et à la rêverie. Une paix, une langueur émanent du paysage et enveloppent le jeune homme d'un charme subtil et doux qui tend à calmer son agitation intérieure. À mesure qu'il avance, il éprouve obscurément aux jambes cette résistance mystérieuse qui retarde notre marche 20 dans les songes. Il voudrait s'asseoir. Mais la fièvre de son

affaibli	wan		langueur f.	languor
à mesure que	as		mousse f.	moss
dégarni	bare		nonchalamment	casually
éblouissant	dazzling		obscurément	vaguely
émaner	to emanate		regagner	to get back to
éprouver	to feel		répandre	to spread
étude f.	office		sol m.	ground
incliner	to dispose (one)		tapisser	to cover

4. *quelque...politesse* a few polite introductory remarks
5. *Saint-Jean-de-Luz se vide* People are leaving Saint-Jean-de-Luz
6. A city of 38,000 inhabitants in southwestern France, the birthplace of Henri IV
7. *ce...Valentin* this always irresolute Valentin
8. *tromper son attente* to while away this time of anxious waiting
9. *vient...illumination* sheds its pale light on
10. *En se déposant* As it rests

cœur est trop intense; il faut qu'il marche, qu'il dépense par des mouvements désordonnés les forces surprenantes que le désir, le bonheur et l'impatience font naître en lui. Il se représente avec un frémissement joyeux la vie nouvelle qui l'attend, cette région inconnue dans laquelle il va s'engager par son 5 mariage avec Germaine. Il croit déjà entendre un petit pas qui vient à lui, l'été, sur le gravier de l'allée, quand il rentre; il voit leurs déjeuners en tête-à-tête, pendant que les guêpes bourdonnent autour du compotier; et il imagine sa joie de s'endormir le soir contre son épaule. Sous l'influence de ces pensées 10 riantes et faciles, son âme s'éclaire comme une maison dont on a brusquement ouvert les volets au soleil.

À vrai dire, il ne se demandait pas si Germaine serait une compagne sérieuse, intelligente et douce, attentive à ses devoirs, si elle serait bonne et dévouée. Quand il était auprès d'elle, il 15 ne songeait pas à ces choses et, tandis qu'elle lisait dans ses regards un amour noble, une adoration fervente, il pensait: «Plaira-t-elle à mes amis, à Florent qui est si moqueur?» ou bien: «Pierre qui a tant de succès auprès des femmes la trouvera-t-il jolie, m'enviera-t-il sa possession?» 20

Soudain, Valentin revit M. Le Goffier, sévère et pieux; il revit son teint jaune et plombé, ses yeux d'ombre enfoncés dans leur orbite, dont le froid regard faisait songer à l'eau froide d'un bénitier, et il frissonna. Il avait si souvent entendu exprimer

allée f. walk
bénitier m. holy-water receptacle
bourdonner to buzz
compotier m. fruit dish
dépenser to expend
désordonné uncontrollable
dévoué devoted
s'éclairer to brighten up
enfoncé deep-set
faire naître to arouse
frémissement m. thrill

gravier m. gravel
guêpe f. wasp
moqueur derisive
d'ombre shadowy
plombé leaden
riant cheerful
sérieux serious-minded
surprenant surprising
teint m. complexion
volet m. shutter

La Demande 99

au père de Germaine[11] cette opinion que seuls ceux qui travaillent sont dignes d'estime, que cette pensée lui vint: «Et si M. Le Goffier me la refuse, que ferai-je?» C'était la première fois qu'il envisageait cette hypothèse qui soudain l'accablait. Il se
5 sentit pris de panique. Que ferait-il? Que deviendrait-il? Son inquiétude était telle, il était à ce point absorbé par elle, qu'il ne s'aperçut pas qu'il s'engageait dans l'allée d'une propriété ouverte sur la route. Il suivit cette allée jusqu'à un banc où il s'assit. Il ne sentait plus ses jambes. Renoncer à Germaine?
10 Son cœur se révoltait. À la seule idée qu'il pouvait la perdre, tous les biens de ce monde lui semblaient négligeables. Elle était à la fois les bruits et les silences, la chaleur, la lumière, la musique, les parfums, l'univers.

Alors, il tenta de se rassurer par la pensée des douze mille
15 francs de rente que ses parents lui garantissaient. M. Le Goffier, homme d'affaires, ne pouvait pas se montrer insensible à cet argument. Pourtant il demeurait inquiet, tandis que le soir s'avançait lentement. Il y avait une heure, peut-être deux, qu'il avait quitté son père. Les jardins rafraîchis exhalaient
20 une odeur salubre. La brise apportait à son oreille le son d'un piano où quelqu'un jouait un air basque,[12] langoureux et passionné. Valentin se leva et, appuyé à un frêne, le cœur orageux et lourd, il éprouva une irrésistible envie de sangloter.

Cependant, il s'avisa qu'il était dans une propriété privée et

accabler to overwhelm	**orageux** troubled
s'aviser to perceive	**rafraîchi** cool
biens m. pl. blessings	**rente** f. income
éprouver to experience	**salubre** wholesome
frêne m. ash tree	**sangloter** to sob
insensible indifferent	**tenter** to try

11. *entendu...Germaine* heard Germaine's father express
12. Basque. The Basques, a distinct racial group, speaking their own language, occupy a region of the western Pyrenees in both France and Spain.

il rétrograda vers la route. Derrière une haie de fusains,[13] un enfant jouait, qu'on ne voyait pas. C'était un petit infirme qui s'amusait tout seul et qui parlait à haute voix:

«Attention, disait-il, le tombereau est plein; il n'y a plus qu'à le pousser. Doucement... Il me faudrait une ficelle pour le tirer.» 5

Il se taisait un instant, puis reprenait:

«Je suis bête. Je n'ai qu'à ôter un peu de terre, comme ça il sera moins lourd... Ah! voilà que je fais des raies sur le chemin!...» 10

Valentin retrouva la grille, la route. Il longea la propriété, aperçut le petit infirme et lui jeta un regard de tendre pitié, comme à un jeune frère en infortune. Il se sentait comme lui dédaigné, oublié, solitaire. Il ne doutait plus à présent que la réponse de M. Le Goffier fût négative. Comment avait-il pu 15 concevoir l'idée de cette folle démarche et comment son père avait-il pu s'y associer? Il se voyait si dépourvu de valeur, de sérieux, de surface social,[14] si chétif, si falot, qu'il comprenait, qu'il admettait même le refus de M. Le Goffier. Il ferma les yeux, évoqua les lourds cheveux dorés de Germaine, l'ourlet 20 vif de ses lèvres,[15] la façon inimitable et charmante dont elle en retroussait en souriant le coin gauche,[16] son beau regard loyal, ses traits chéris, son doux silence... Il ne voulait pas la perdre;

chétif unworthy	**loyal** straightforward
démarche f. step	**ôter** to remove
dépourvu devoid	**raie** f. line
falot colorless	**retrousser** to curl up
ficelle f. piece of string	**sérieux** m. responsibility
grille f. iron gate	**tombereau** m. dumpcart
haie f. hedge	**trait** m. feature
infirme m. cripple	

13. spindle trees (shrubs whose hard wood has at times been used for making spindles)
14. *surface social* the social graces
15. *l'ourlet...lèvres* the clear line of her lips
16. *le coin gauche* the left side of her mouth

il ne pouvait vivre sans elle; les autres femmes l'auraient fait fuir. Pour la conquérir, pour être agréé par M. Le Goffier, il était prêt à accepter un emploi de clerc dans son étude. Rien ne le rebuterait. Le travail dont il avait horreur, soudain lui
5 apparaissait plein d'attrait, l'odeur de l'étude était plus suave que celle des roses d'octobre, et le bruit des cartons, des paperasses feuilletées,[17] des plumes grinçant sur le papier timbré[18] enivrait son oreille. Tout ce qui lui avait semblé difficile jusqu'ici se dénouait avec une radieuse facilité. Il s'échauffait.
10 Jamais il n'avait eu tant de courage, de ferme volonté. Il se sentait grisé, transporté par la force de ce grand amour.

Comme il avait longé le cimetière et tournait à gauche dans la direction de Guétary, le bruit de grelots d'un attelage lui fit battre le cœur. Dans la voiture qui le ramenait, son père qui
15 l'avait aperçu lui faisait des signes que le jeune homme tremblait de mal interpréter; et, quand ils se furent rejoints, il lui dit joyeusement:

«Eh bien! c'est fait, mon garçon, tu es agréé.

—Ah! dit Valentin, la voix étranglée. Il n'a pas fait d'ob-
20 jections?

—D'objections! j'aurais bien voulu voir qu'il fît des objections!... Tout a marché comme sur des roulettes.[19] J'espère que tu es content?»

agréer to approve	**grelot** m. harness bell	
attelage m. team of horses	**grincer** to scratch	
attrait m. attraction	**grisé** intoxicated	
carton m. cardboard file	**rebuter** to discourage	
se dénouer to be cleared up	**suave** fragrant	
enivrer to delight	**timbré** stamped	
étrangler to choke		

17. *paperasses feuilletées* useless old papers being turned over
18. *Papier timbré* is issued by the government, which requires its use for a variety of specified legal documents of both public and private character.
19. *comme ... roulettes* like a charm (literally, "as though on rollers")

Le cœur déréglé de Valentin se remettait à battre régulièrement. Il n'avait plus cette gorge serrée qui, une seconde auparavant, étranglait sa voix. Mais cette joie, ce grand bonheur
immense, surnaturel, qu'il attendait, où étaient-ils? Comment
ne se sentait-il pas soulevé d'allégresse?[20] Il était là silencieux, 5
un peu stupide. Son père répétait:
«Eh bien! tu es content à présent?
—Oui, très content,» répondit-il, encore raidi par[21] l'émotion.
Mais déjà une toute petite ombre tombait sur lui. Il était
engagé, prisonnier d'une situation. Comme la souris tout à 10
l'heure libre qui n'avait qu'un petit mouvement à faire, au seuil
de la souricière, pour y échapper et qui s'est avancée imprudemment, il se sentait pris au piège. A présent, il était trop
tard pour reculer, Germaine était à lui. Et les autres femmes
reprenaient tout leur attrait. Il avait choisi. C'était celle-là 15
qui lui appartiendrait désormais; mais les autres si séduisantes,
si nombreuses, celles qu'il rencontrerait, qu'il convoiterait...
«Certainement, je suis content, se répétait-il pour s'affermir.
Je l'aime.» Il l'aimait, oui sans doute, mais, sûr de sa victoire,
peut-être l'aimait-il déjà moins, et, par un effet de sa nature 20
mobile et indécise, voici qu'à cette minute tant attendue, unique,
éblouissante, il se sentait un peu triste, l'âme effleurée par le
regret...[22]

s'affermir to strengthen oneself	**piège** m. trap
auparavant before	**reculer** to draw back
convoiter to covet	**séduisant** alluring
déréglé excited	**serré** constricted
désormais henceforth	**souricière** f. mousetrap
engagé captive	**souris** f. mouse

20. *soulevé d'allégresse* bursting with joy
21. *raidi par* taut with
22. *l'âme...regret* his spirit darkened by a fleeting shadow of regret

EXERCICES

I. Répondez aux questions suivantes:

1. Pourquoi M. Marcereaux rend-il visite à M. Le Goffier?
2. Décrivez M. Le Goffier. Pourquoi Valentin frissonne-t-il en pensant à lui?
3. Quelle est l'opinion de M. Le Goffier sur les gens irrésolus et paresseux?
4. Quelle pensée rassure Valentin, quand il se rend compte que M. Le Goffier pourrait lui refuser la main de Germaine?
5. Quelles sont les joies du mariage que Valentin se représente avec plaisir?
6. Que fait le petit garçon pour s'amuser?
7. Pourquoi est-ce que Valentin lui jette un regard de pitié?
8. Que fera Valentin pour être agréé par M. Le Goffier?
9. Quelle nouvelle M. Marcereaux apporte-t-il à son fils?
10. Comment Valentin reçoit-il cette nouvelle?
11. Est-ce que Valentin a tort de s'inquiéter de l'opinion de ses amis, quand il est auprès de Germaine?
12. Pensez-vous qu'on éprouve souvent du regret en entendant une bonne nouvelle? Discutez ce phénomène.

II. Traduisez les phrases suivantes:

1. Il éprouve obscurément aux jambes cette résistance mystérieuse qui retarde notre marche dans les songes.
2. Il croit déjà entendre un petit pas qui vient à lui, l'été, sur le gravier de l'allée.
3. Il voit leurs déjeuners en tête-à-tête, pendant que les guêpes bourdonnent autour du compotier.
4. Son âme s'éclaire comme une maison dont on a brusquement ouvert les volets au soleil.
5. Il revit son teint jaune et plombé, ses yeux d'ombre enfoncés dans leur orbite.
6. Appuyé à un frêne, le cœur orageux et lourd, il éprouva une irrésistible envie de sangloter.
7. Le bruit des paperasses feuilletées, des plumes grinçant sur le papier timbré, enivrait son oreille.

8. Comme la souris tout à l'heure libre au seuil de la souricière, il se sentait pris au piège.

III. Complétez les phrases, en vous servant des mots suivants:

affaibli	moqueur	éblouissant	clairsemé	grisé
dégarni	pieux	riant	dédaigné	serré
rafraîchi	subtil	séduisant	doré	plombé

1. Il se demande si Germaine plaira à Florent, qui est si _____
2. Son âme s'éclaire sous l'influence de ces pensées _____.
3. Le soleil semble un poète qui répand sur la page des images _____.
4. Il ferma les yeux et évoqua les lourds cheveux _____ de Germaine.
5. Le soleil _____ passe à travers les branches _____ des arbres.
6. Il se sentait comme ce petit infirme _____, oublié, solitaire.
7. Une paix et une langueur enveloppent le jeune homme d'un charme _____ et doux.
8. Il se sentait _____, transporté par la force de ce grand amour.
9. Il pensait aux autres femmes si _____, qu'il rencontrerait à l'avenir.
10. Il n'avait plus cette gorge _____ qui, tout à l'heure, étranglait sa voix.
11. L'été se meurt dans les fleurs _____ et pâles. Les jardins _____ exhalent une odeur salubre.
12. Soudain, Valentin revit M. Le Goffier, sévère et _____; il revit son teint jaune et _____.

IV. Faites une phrase avec chacune des expressions suivantes: désormais, éprouver, revenir sur ses pas, se taire, tout à l'heure.

V. Écrivez en 25 lignes la composition suivante: La personnalité de Valentin Marcereaux.

JEAN TOUSSEUL

 Born in the village of Landenne-sur-Meuse in 1890, Olivier Degée, who assumed the pen name of Jean Tousseul, died at Seilles, Belgium, in 1944. The son of manual laborers, Tousseul remained throughout his life sympathetic to their lot, and imbued with the love of social justice. The Walloon countryside and the simple people among whom he had been reared served as his constant inspiration. In an impressive number of novels and short stories he has portrayed with disarming honesty and directness the lives of humble people. *La Veilleuse* (1929) is generally considered to be the masterpiece of this regional novelist. His most ambitious work is the novel *Jean Clarambaux,* in five volumes (1927–1936). To a large extent autobiographical, it is a humanitarian's sincere and realistic appraisal of life.

"La Veillée" is taken from a collection of short stories entitled *Au bord de l'eau* (1932). It is a portrait of one of those stout-hearted peasants whom the author knew so well. At the same time, it is an admirable description, filled with poetic imagery, of a torrential storm, driving down the valley of Tousseul's beloved Meuse.

The story is reproduced by permission of Les Éditions de Belgique.

Jean Tousseul

La Veillée

À Annette Lievens

L'ouragan battait le pays. Il était descendu tout à coup, vers six heures du soir, des hauteurs où l'on trouvait du zinc et du fer, et s'était rué dans la vallée. Sous sa poussée, les hauts arbres pliaient et les plus petits se ramassaient en boule.[1] Quant aux maisons, elles avaient l'air de s'accrocher peureusement au 5
sol. La rafale mugissait et apportait des paquets de pluie qu'elle lançait[2] contre les murs et les vitres. Au bout de la route, un peuplier d'Italie se courbait et se redressait aussitôt, comme une frêle tige de roseau.[3]

Le visage collé à[4] la fenêtre, la vieille Mar-Jo ne le quittait pas 10

s'accrocher to cling		**plier** to bend	
battre to lash		**poussée** f. blast	
se courber to bend over		**rafale** f. wind	
hauteur f. upland		**se redresser** to straighten up again	
mugir to roar		**se ruer** to rush	
ouragan m. hurricane		**sol** m. ground	
pays m. countryside		**veillée** f. night watch	
peureusement fearfully		**vitre** f. window pane	

1. *se ... boule* huddled together
2. *apportait ... lançait* and bore gusts of rain which it hurled
3. *frêle ... roseau* frail reed
4. *collé à* pressed closely against

des yeux[5] puisqu'il indiquait la direction et la force du vent et que la maisonnette bondissait sous les assauts de la tourmente. Là-haut, les pattes écailleuses de la joubarbe[6] devaient grelotter sur le chaume trempé,[7] et les volets geignaient, et la barrière à
5 claire-voie[8] criait. La tempête elle-même avait des clameurs humaines et la demeure s'emplissait du bruit des objets qui tremblaient dans tous les coins. Mar-Jo écoutait les paquets d'eau claquer[9] contre la façade et un pignon, et comme elle habitait au fond du village, bientôt elle entendit venir le torrent
10 qui avait enlevé sur son passage de grosses pierres et de vieux seaux abandonnés dans les essarts. Tout cela faisait un vacarme infernal. Les ormes de la levée semblaient se hâter, pareils à de grosses bêtes pesantes.

—Qu'allons-nous devenir?[10] demanda Mar-Jo de[11] sa voix
15 douce à[12] la vitre, la seule chose qui vivait dans la maison.

Puis s'appuyant sur son bâton—elle avait eu quatre-vingt-six

bondir to leap	**orme** m. elm
clameur f. outcry	**patte** f. paw
crier to creak	**pesant** lumbering
écailleux scaly	**pignon** m. gable
s'emplir to be filled	**seau** m. pail
enlever to carry along	**tourmente** f. storm
essarts m. pl. cleared land	**vacarme** m. racket
geindre to whine	**volet** m. shutter
levée f. embankment	

5. *ne ... yeux* kept staring at it
6. houseleek. The houseleek, also called Jupiter's beard, is a very hardy plant, with pink flowers, which grows upon old walls and roofs. "Scaly paws" evidently refers to its leaves.
7. *devaient ... trempé* must be trembling on the rain-drenched thatch
8. *barrière à claire-voie* lattice (an open framework of wood outside the window)
9. *écoutait ... claquer* listened to the water slapping
10. *Qu'allons-nous devenir?* What's going to become of us?
11. in
12. of

ans à la Chandeleur[13]—elle fit le tour de la demeure pour surveiller les fenêtres vermoulues qui soufflaient des bulles par les fissures des cadres. Elles tenaient bon.[14] La vieille vint donc reprendre sa vigie:[15] mais le peuplier d'Italie avait disparu. Il n'y avait plus de ciel, il n'y avait plus rien, sauf du vent et de 5 la pluie, quelque chose de gris comme du métal terni qui eût ruisselé[16] devant la vitre. On aurait pu se croire dans un bateau coulé en Meuse[17] un jour de grosses eaux,[18] si la campagne n'avait été pleine de grincements et de glapissements, et si tous les objets n'avaient tremblé dans chaque coin de la pièce. 10

—Les blés sont perdus, dit la voix douce.

Il fit noir tout de suite. Pour ne plus être seule, Mar-Jo alluma la lampe: une bonne lampe qui était vraiment quelqu'un puisqu'on la connaissait depuis trente ans, et qu'on était vieille, et qu'on était seule. Le halo de la flamme apparut 15 comme un visage dans l'obscurité et la face de Mar-Jo se pencha vers lui: une bonne face toute plissée, de petits yeux, un petit nez, une petite bouche dans un ovale ridé et tanné sous le bonnet. Les mains transparentes redressèrent l'abat-jour et pendant que l'ouragan faisait rage, un peu de paix suivit la 20

abat-jour m. lamp shade	**glapissement** m. screeching
blé m. wheat field	**grincement** m. grinding
bulle f. bubble	**plissé** wrinkled
cadre m. frame	**ridé** shrivelled
faire rage to rage	**terni** tarnished
fissure f. crack	**vermoulu** worm-eaten

13. *à la Chandeleur* on Candlemas Day (February 2)
14. firm
15. lookout-post (in front of the window)
16. *eût ruisselé* might have streamed down
17. *coulé en Meuse* sunk in the Meuse. Mar-Jo's home is located on the bank of this important river, which flows for 575 miles through France, Belgium, and Holland.
18. *grosses eaux* high water

lumière sur la cheminée, redescendit dans le foyer éteint,[19]
caressa les murs et les vases du bahut.

Mar-Jo accrocha son grand châle de laine devant la fenêtre
et s'assit dans son fauteuil de frêne pour attendre la fin de la
tourmente. Il n'y avait que cela à faire. La flamme de la
lampe restait bien sage[20] malgré tout ce qui se passait dehors:
comme une fleur jaune des champs, amicale, rassurante. Elle
crépitait un peu parfois, parce qu'il y avait trente ans qu'elle
revivait chaque soir d'hiver sur le même bec et que tout en
10 renaissant[21] chaque soir, elle était vieille, elle aussi. Elle avait
parfois encore de petits caprices: on l'entendait pomper le
pétrole avec une fine musique d'ailes d'insecte.[22] On eût[23] cru
alors qu'elle racontait des histoires.

—Je vous salue, Marie,[24] pleine de grâce...

15 Mar-Jo marmonnait son chapelet. Il n'y avait que cela à
faire. Pfut! Pfut![25] La flamme bougeait, joueuse,[26] comme

accrocher to hang	**crépiter** to crackle
amical friendly	**foyer** m. hearth
bahut m. chest	**frêne** m. ash
bec m. burner	**marmonner** to mumble
chapelet m. rosary	**revivre** to come to life again
cheminée f. mantelpiece	

19. fireless
20. *bien sage* on its good behavior
21. *que...renaissant* because, while being reborn
22. *d'ailes d'insecte* like the beating of an insect's wings
23. *eût: aurait*
24. *Je...Marie* Hail, Mary. Mar-Jo is a Roman Catholic. Snatches of her prayer, addressed to the Virgin Mary, recur throughout the story.
25. Through the use of onomatopoeia the author attempts to make his description more realistic. *Pfut! Pfut!* here represents the crackling of the flame; later examples are *Clac*, the splashing of the rain against the window, and the sound of the slates falling from the roof; *Rrr*, the whirring of the clock chain; *Zzz*, the sound of the wick, sucking up kerosene; *Meuh*, the roaring of the wind; *Hih*, the rattling of the door.
26. *bougeait, joueuse* flickered, playfully

pour dire qu'elle était là, et, dehors...dehors, le vent mugissait et les paquets d'eau déferlaient sur[27] la façade et le pignon.

—Je suis sûre que mon grand[28] ne dort pas: il sera inondé; et que mon petit aura son toit abîmé. Je vous salue, Marie... Nous n'avons plus eu pareil ouragan depuis quarante ans... 5 Le Seigneur est avec vous...

Une poussée glapissante: un arbre craqua en face de la maison, puis le vent reprit sa course folle en entraînant à sa suite,[29] eût-on dit, le torrent qui dévalait des hauteurs de Petit-Waret et qui avait recueilli tous les vieux seaux du pays le long 10 de la route. Un brusque remous: Mar-Jo crut qu'il allait enlever la demeure et elle songea au chaume qu'on aurait dû renouveler au printemps...

—Vous êtes bénie entre toutes les femmes... Mes petits crapauds[30] auront peur, surtout Olga qui a peur pour un 15 rien... Priez pour nous, pauvres pécheurs...

Pfut! Pfut! faisait[31] la flamme. La barrière s'écrasa avec un bruit sec[32] et la porte dansa dans[33] ses gonds. La pauvre se sentit bien seule dans ses vieux jours, et comme l'huis continuait à trembler, elle prit la lampe et passa dans l'autre chambre. Le 20 vent se rua sur la vitre opaque et souleva un coin du châle qui

abîmé ruined	**gond** m. hinge
barrière f. lattice	**huis** m. door
béni blessed	**opaque** dark
chaume m. thatch	**pécheur** m. sinner
dévaler to descend	**recueillir** to collect
s'écraser to collapse	**remous** m. swirling
glapissant screaming	**reprendre** to resume

27. *paquets...sur* showers broke against
28. older boy
29. *à sa suite* behind it
30. kids (literally, "toads"). Mar-Jo is thinking of her grandchildren.
31. went
32. *bruit sec* snapping sound
33. on

la masquait. Clac! un paquet d'eau. Les volets gémirent des deux côtés de la fenêtre morte.

Quand Mar-Jo reparut, la lumière riait dans[34] le bonnet blanc tout frais dont elle s'était coiffée,[35] et caressait son casaquin de 5 dimanche et sa robe noire et son tablier neuf. La campagne s'emplit de cris de bêtes et la barrière rebondit[36] dans la cour. La vieille cira ses sabots sous la lampe. Rrr! fit la chaîne de l'horloge. Mar-Jo alla voir l'heure, remonta le poids, surveilla une fois encore les plis de sa robe et s'assit;

10 —Je vous salue, Marie... Seulement onze heures. A la bonne garde de Dieu[37] s'il veut me reprendre...

Le vent brisa un arbre dans le verger. Zzz!...fit la mèche qui pompait le pétrole et Mar-Jo lui parla:

—On vous remettra[38] de l'huile demain, si nous vivons en- 15 core... Sainte-Marie, mère de Dieu...

Les pauvres doigts osseux s'agitèrent soudain sur le tablier neuf, car la tempête redoublait ses assauts et multipliait ses sifflements. Clac! Clac! Les ardoises de la ferme commençaient à s'envoler l'une après l'autre.

s'agiter to tremble	**mèche** f. wick	
ardoise f. slate	**osseux** bony	
briser to break	**paquet** m. splash	
casaquin m. short jacket	**poids** m. weight	
cirer to polish	**remonter** to pull up	
s'envoler to fly off	**sifflement** m. whistling	
gémir to groan	**tablier** m. apron	
horloge m. clock	**verger** m. orchard	
huile f. oil		

34. *riait dans* shone brightly upon
35. *dont...coiffée* which she had put on
36. blew around
37. *A...Dieu* Into God's keeping (I entrust myself)
38. *On vous remettra* I'll give you

—Et à l'heure de notre mort... J'aurais bien voulu revoir tous mes enfants...

Pfut! Pfut! fit la mèche qui charbonnait. Il y eut une ruée immense qui gémit sóus la porte et allongea la flamme de la lampe. Mar-Jo alla caresser son ventre bossué[39] et la rassura:

—Nous en avons bien vu, ma fille, depuis tant d'années.

Puis, comme le vent avait rebroussé chemin et abandonné les ardoises, elle revint s'asseoir dans son fauteuil en élargissant sa belle robe:

—Et à l'heure de notre mort... (Meuh! hurlait l'ouragan) Je vous salue, Marie... (Hih! ricanait l'huis)... Vous êtes bénie...

La rafale s'apaisait tout à coup, s'éloignait, et on entendit pleuvoir et gémir doucement les volets.[40] Il y eut une accalmie.

—Ainsi soit-il...

Aussitôt que l'aube vint blanchir les carreaux de la fenêtre, Mar-Jo s'éveilla, souffla la lampe, sortit, regarda à peine le chaume qui pendait lamentablement au pignon et se mit en route. Des meules écrasées, des toits éventrés,[41] les cours pleines de gens et de bêtes affairées: l'ouragan avait tourbillonné long-temps sur tout le village. Le vieux profil branlant et endi-

---

accalmie f. lull	**s'éloigner** to move away
affairé bustling	**hurler** to howl
ainsi soit-il amen	**meule** f. haystack
s'apaiser to abate	**rebrousser chemin** to turn away
carreau m. pane	**ricaner** to chuckle
charbonner to smoke	**ruée** f. blast
écrasé crushed	**tourbillonner** to whirl
élargir to spread out	

---

39. *ventre bossué* dented bowl (literally, "belly")
40. *on...volets* one heard rain falling and the shutters gently moaning
41. with gaping holes in them

manché[42] se hâta en suivant son bâton. Ses sabots cirés s'enfonçaient dans le limon ou glissaient sur des cailloux, des fruits ou des pommes de terre, venues des mottes[43] ou des granges. Le sentier qu'elle se proposait de prendre avait disparu, elle
5 dut faire un long détour, regagner le grand[44] chemin, se cramponner aux buissons du talus là où les arbres abattus barraient le passage.

Elle fut bientôt seule dans la campagne trempée, se dépêchant le plus qu'elle pouvait, soufflant, retenant son tablier neuf qui
10 claquait au vent. Puis elle repartait, tirant son bâton et ses sabots l'un après l'autre. Un arbre du hameau était décapité. Le cœur de la vieille se serra.[45] La première grange n'avait plus de toit... Elle obliqua à gauche à travers champs, le bâton sous le bras puisqu'il ne lui servait plus à rien, cherchant
15 de ses yeux usés deux toits voisins, deux toits de chaume, deux toits... Mar-Jo s'arrêta: les toits n'avaient rien![46] Elle fit quelques pas encore: les maisons n'avaient rien![46] Mar-Jo se hâta: ses fils étaient là, se hâtant, eux aussi, sur la route, venant chez elle...
20 Elle essaya de crier, mais elle était hors d'haleine et sans

abattu fallen	haleine f. breath
buisson m. bush	hameau m. hamlet
caillou m. pebble	limon m. mud
claquer to flap	obliquer to proceed obliquely
se cramponner to cling	souffler to breathe heavily
s'enfoncer to sink	talus m. embankment
glisser to slip	usé dim
grange f. barn	

42. *Le ... endimanché* The old lady, tottering along in her Sunday best
43. fields. A *motte* is a clump of soil thrown up by the plow, or the ball of earth surrounding the roots of a plant. The storm had washed the potatoes out of the ground.
44. main
45. *se serra* sank (literally, "squeezed itself")
46. *n'avaient rien* were all right

voix—à son âge. Elle leva son bâton trois ou quatre fois. Ils
la virent. D'un geste de la main, tous deux semblèrent effacer
le ciel livide—tout allait bien!—et accoururent. A son tour,
elle effaça le ciel de sa main—tout allait bien!—puis elle les
attendit, n'en pouvant plus.[47] Ils arrivaient péniblement—ils 5
ne couraient plus!—enfoncés dans leurs bottes couvertes d'argile. Dans ses beaux habits de dimanche tout abîmés, la vieille
riait des efforts de son grand qui glissait à chaque pas et de
l'accoutrement de son petit qui avait endossé une ancienne
capote de soldat beaucoup trop longue pour lui. 10

Elle riait, riait et disait:

—Comme vous êtes emmanchés, mes enfants... Hi! Hi!

Et le sabot que Mar-Jo avait perdu cent mètres plus avant
la vit embrasser ses fils en riant et en les tâtant comme s'ils
revenaient d'Amérique. 15

accourir to come running		**endosser** to put on	
accoutrement m. get-up		**enfoncé** sinking	
argile f. clay		**péniblement** with difficulty	
emmanché rigged out		**tâter** to feel	

47. *n'en pouvant plus* exhausted

EXERCICES

I. Répondez aux questions suivantes:
1. A quelle heure la tempête a-t-elle commencé? D'où est-elle venue?
2. Comment a-t-on pu déterminer la force et la direction du vent?
3. Qu'est-ce que le torrent a apporté sur son passage?
4. Qu'est-ce qu'on a pu voir en regardant par la fenêtre?
5. Quels sont les sons représentés par Pfut! Clac! Hrr! Zzz! et Meuh!?
6. Décrivez le village le lendemain de la tempête.

II. Faites le portrait de la vieille Mar-Jo. Racontez ses expériences pendant la tempête.

1. Quel âge avait-elle?
2. Où demeurait-elle?
3. Comment a-t-elle passé le temps pendant la tempête?
4. A qui a-t-elle pensé?
5. De quoi s'est-elle inquiétée?
6. Pourquoi a-t-elle allumé la lampe?
7. Comment s'est-elle habillée?
8. Où a-t-elle décidé d'aller le lendemain?
9. Pourquoi a-t-elle marché avec difficulté?
10. Décrivez son arrivée chez ses enfants.

III. Traduisez les phrases suivantes:

1. Les maisons avaient l'air de s'accrocher peureusement au sol.
2. Un peuplier se courbait et se redressait aussitôt, comme une frêle tige de roseau.
3. Les ormes de la levée semblaient se hâter, pareils à de grosses bêtes pesantes.
4. Les fenêtres vermoulues soufflaient des bulles par les fissures des cadres.
5. Un peu de paix suivit la lumière sur la cheminée, redescendit dans le foyer éteint.
6. Le vent mugissait et les paquets d'eau déferlaient sur la façade et le pignon.
7. Ses sabots cirés s'enfonçaient dans le limon ou glissaient sur des cailloux.
8. Sous sa poussée, les hauts arbres pliaient et les plus petits se ramassaient en boule.
9. La rafale s'apaisait tout à coup, s'éloignait, et on entendit pleuvoir et gémir doucement les volets.
10. Les pauvres doigts osseux s'agitèrent soudain sur le tablier neuf, car la tempête redoublait ses assauts.

IV. Choisissez l'expression anglaise qui convient.

sol 1. sun 2. ground 3. silk 4. sole 5. beam
pli 1. rain 2. lead 3. fold 4. feather 5. eyebrow
blé 1. wheat 2. oats 3. thimble 4. mud 5. reed
aile 1. eagle 2. needle 3. wing 4. pin 5. clay

gond 1. throat 2. lamp shade 3. gong 4. hinge 5. oil
seau 1. stick 2. pail 3. skin 4. mud 5. wick
orme 1. ash 2. hearth 3. bubble 4. wave 5. elm
vitre 1. window pane 2. shutter 3. orchard 4. sight 5. livelihood
poids 1. rock 2. clock 3. paw 4. weight 5. peas
verger 1. sexton 2. uproar 3. belly 4. foliage 5. orchard
ardoise 1. thatch 2. coals 3. slate 4. gable 5. bush
sentier 1. feeling 2. path 3. poplar 4. reed 5. willow
tablier 1. apron 2. table 3. napkin 4. table cloth 5. kerchief
vacarme 1. storm 2. frame 3. rosary 4. racket 5. orchard
pécheur 1. fisherman 2. peach tree 3. pedestrian 4. plowman
  5. sinner

V. Traduisez les phrases suivantes:

1. While the hurricane was raging, Mar-Jo walked around her cottage and examined the objects trembling in every corner.
2. They ought to have renewed the slate in the spring. The roof will be completely ruined after the storm.
3. Old Mar-Jo heard the torrent coming from the uplands of Petit-Waret. "What's going to become of me?" she murmured to herself.
4. In spite of everything that was going on outside, Mar-Jo was not afraid. She spent several hours during the night mumbling her rosary and thinking of her children.
5. Suddenly there was a calm. Mar-Jo woke up, extinguished the lamp, and went out. Then, scarcely looking at the yards full of bustling people, she set off alone across the rain-drenched countryside.

VI Écrivez en 25 lignes la composition suivante: La Vieille Mar-Jo.

Henri Duvernois

Vengeance

Le vendredi soir, Mme Olivier Hamanoux recevait. C'était
une personne imposante, autoritaire, qui avait épousé en 1892
un homme de lettres alors plein d'espérances. Ces espérances
ne devaient pas[1] se réaliser: Olivier Hamanoux, si humble, si
timide, si effacé, avait perdu ses plus belles années de produc-   5
tion à hésiter,[2] à tâtonner[3] et à raturer[4] le lendemain ce qu'il
avait écrit la veille. A vrai dire, il était resté honteux comme
au premier jour[5] de ce qu'il appelait ses «petits travaux»; il n'en
voyait que les faiblesses et n'accusait de[6] son obscurité ni la
cabale, ni l'injustice du siècle. Un vrai philosophe, pétri de   10
malice et de mélancolie. Mme Olivier Hamanoux le méprisait: «Que voulez-vous,[7] soupirait-elle, c'est un homme qui a

autoritaire	overbearing	**imposant**	impressive
cabale f.	intrigue	**mépriser**	to despise
effacé	retiring	**pétri de**	steeped in
honteux	ashamed	**soupirer**	to sigh

1. *ne devaient pas* were not
2. *à hésiter* hesitating
3. *à tâtonner* groping
4. *à raturer* scratching out
5. *il ... jour* he had always been ashamed
6. from
7. *Que voulez-vous* What can you expect

bégayé sa vie!»[8] car elle ne répugnait pas aux images. Ce falot
époux ne lui avait apporté ni la richesse ni la gloire. Ses œuvres
complètes figuraient bien[9] dans leur bibliothèque sous la forme
de quatre volumes, mais, si quelqu'un avait eu l'idée de les
6 ouvrir, il aurait vu que seul le premier, un roman intitulé
Crépuscule, était imprimé; le second, *Fabrice,*[10] était composé
des fascicules d'une petite revue depuis longtemps[11] morte et
oubliée; le troisième, un recueil de vers, était dactylographié;
enfin le quatrième, composé de pièces injouables, était resté
10 manuscrit.

Olivier Hamanoux se réfugiait dans la lecture et dans les
petits plaisirs de la vie quotidienne. Au fait,[12] il n'avait que
deux tristesses: celle de mal manger, car il était gourmand,[13]
et celle de consacrer une soirée par semaine à des individus qui
15 l'ennuyaient.

Car Mme Olivier Hamanoux tenait un salon littéraire.

Par un prodige étonnant, à cette époque d'automobilisme,
d'électricité et de thés-bridges, elle avait ressuscité en un mo-

crépuscule f. twilight	**manuscrit** in manuscript form
dactylographié typed	**prodige** m. miracle
ennuyer to bore	**quotidien** daily
époux m. husband	**recueil** m. collection
falot odd	**se réfugier** to take refuge
fascicule m. instalment	**répugner** to be averse
image f. metaphor	**ressusciter** to revive
imprimé printed	**roman** m. novel
injouable unactable	**salon** m. "at home"
intitulé entitled	**tristesse** f. regret
lecture f. reading	

8. *bégayé sa vie* stammered his way through life
9. *figuraient bien* did indeed appear
10. The hero of Stendhal's *La Chartreuse de Parme*
11. *depuis longtemps* long since
12. *Au fait* Indeed
13. *celle . . . gourmand* that of not getting enough good food, for he loved to
    eat

deste appartement des Batignolles[14] une de ces officines où les bonnes dames du temps de Louis-Philippe[15] offraient à de pâles comparses[16] du sirop de groseille, des échaudés[17] et de fades poésies. Ici, le sirop de groseille se trouvait remplacé par un étrange chocolat à goût de[18] poussière et qui ne mettait sur la nappe, quand un maladroit renversait sa tasse, qu'une tache grisâtre. Et, aux échaudés de jadis, Mme Hamanoux substituait un plum-cake. 5

Ce plum-cake était le cauchemar de l'auteur de *Crépuscule*. Fin et observateur, comme tous ceux qui se taisent, il devinait 10 qu'on en riait. Mme Olivier Hamanoux achetait, en effet, cette horreur au rabais, dans une maison d'elle seule connue[19] et où l'on soldait une fois par semaine les gâteaux rassis. C'était une masse noirâtre et indigeste; les raisins secs crissaient sous la dent comme de menus cailloux et il s'effritait sous le couteau. 15 Un journaliste en avait dérobé un échantillon qui figurait dans

cauchemar m. nightmare
crisser to grate
dérober to steal
échantillon m. sample
s'effriter to crumble
fade dull
fin shrewd
grisâtre grayish
groseille f. red currant
maladroit m. awkward person
menu tiny

nappe *f*. tablecloth
noirâtre blackish
observateur observing
officine f. hangout
poussière f. dust
rabais m. reduced price
raisin sec m. raisin
rassis stale
sirop m. syrup
solder to sell off
tache f. stain

14. A section of Paris
15. King of France from 1830 to 1848
16. *de pâles comparses* silent but willing confederates
17. Very light cake, usually triangular in shape
18. *à goût de* tasting like
19. *maison ... connue* shop known only to her

la salle de rédaction au-dessus de cette étiquette: pain du siège.[20]

—Ma bonne,[21] si, pour changer,[22] tu prenais un baba?[23] insinuait parfois Hamanoux.

Elle se récriait:

5 —Un baba! A cause du rhum, n'est-ce pas? Mon plumcake est célèbre: je ne le changerais pas plus qu'un homme connu ne[24] se consentirait à modifier la coupe de sa barbe. Pour avoir méprisé ces nuances, tu vois où tu en es![25] D'ailleurs, puisqu'on le trempe dans le chocolat, peu importe qu'il ait
10 quelques jours de plus ou de moins.[26]

Et Olivier Hamanoux retournait à ses livres. Le vendredi matin, on le chassait, afin de tout préparer pour la réception du soir. Son cabinet de travail était à la fois[27] sa chambre à coucher et le salon. Le vendredi, on jetait sur son lit bas, trans-
15 formé ainsi en divan, un tapis oriental et quelques coussins modernes aux nuances agressives. Sur sa table de travail, déblayée d'une main rude, on disposait un verre d'eau et une carafe, à l'usage du lecteur choisi.

cabinet de travail m. den	**mépriser** to scorn
carafe f. water bottle	**nuance** f. nice distinction
coupe f. cut	**nuance** f. shade
coussin m. cushion	**se récrier** to protest
déblayer to clear off	**rhum** m. rum
étiquette f. label	**salle de rédaction** f. editorial room
insinuer to hint	**tapis** m. rug, carpet
lecteur m. reader	**tremper** to dip, "dunk"

20. *pain du siège* hardtack
21. *Ma bonne* My dear
22. *pour changer* for a change
23. A rich sponge cake, containing rum, grapes, etc.
24. Omit *ne* when translating.
25. *où...es* what you've amounted to
26. *qu'il...moins* whether it was baked several days ago or not
27. *à la fois* both

Tant que celui-ci opérait, Olivier Hamanoux, luttant de toutes ses forces contre le sommeil, regardait son lit-divan avec une tendresse inquiète. Des gens y étaient assis dont il regardait la position avec anxiété. «Ce soir, pensait-il, le matelas penchera encore sur la droite et je m'éveillerai demain matin 5 sur le tapis.» Aussi faisait-il tout son possible[28] pour que les occupants s'équilibrassent. Il en plaçait un à chaque bout, un troisième au milieu. «Et ne vous gênez pas,[29] surtout; asseyez-vous carrément, tout au fond, le dos au mur; alors on est bien, autrement on bascule…» 10

Il venait[30] des jeunes, fiers d'avoir reçu une invitation due à leurs seuls[31] mérites littéraires, et qui étaient tellement choyés et submergés sous les compliments qu'ils passaient sur le plùm-cake pierreux et sur le chocolat saumâtre. Il y avait des habitués grisonnants qui attendaient le vendredi avec fièvre pour 15 s'épancher devant leur dernier auditoire. M. Thielleux chantait ses couplets au piano, d'une voix qui avait les résonnances meurtries d'un clavecin[32] humide. M. Morcade apportait tous les trois mois sa pièce nouvelle; on en avait jusqu'à minuit et

auditoire m. audience	**humide** out of tune
avec fièvre excitedly	**lutter** to struggle
basculer to seesaw	**matelas** m. mattress
carrément squarely	**meurtri** bruised
choyé deluged with attentions	**opérer** to perform
couplet m. verse	**passer sur** to overlook
s'épancher to pour out one's heart	**pencher** to tilt
s'équilibrer to balance	**pierreux** rocky
grisonnant (who were) turning gray	**résonnance** f. tone
habitué m. "regular"	**saumâtre** brackish

28. *Aussi…possible* So he did his utmost
29. *Et…pas* And make yourselves comfortable
30. *Il venait* There came
31. *à leurs seuls* solely to their
32. harpsichord (an old-fashioned keyboard instrument, shaped like a harp)

demi, depuis le moment où il annonçait ce qu'il appelait sa distribution idéale: «Le père: Mounet-Sully; le fils: Guitry; la mère: Sarah Bernhardt; la fille: Bartet;[33] un chant à la cantonade:[34] Caruso»,[35] jusqu'à celui où, parmi le soulagement gé-
5 néral, il concluait: «Rideau!» On voyait même quelques dames. Certaines prenaient là des opinions;[36] au regard fixe des autres,[37] on devinait qu'elles aussi s'assiéraient un jour derrière la table et devant le verre d'eau.

Le samedi matin, Olivier Hamanoux ankylosé par une nuit
10 passée sur le divan défoncé, trouvait des miettes de plum-cake sous son buvard et des cendres de cigarettes dans son encrier, mais il mettait le verrou et—consolation suprême!—il était seul. Alors il tirait d'un tiroir secret une rame d'admirable papier, lisse et froid comme du marbre, il brandissait une
15 plume de cygne taillée avec amour[38] et, avec un frisson de plaisir, se mettait à écrire des vers. Il n'aurait pas fallu que Mme Olivier Hamanoux s'en aperçût![39] Une absurde jalousie avait survécu en son cœur à l'amour conjugal, défunt depuis

ankylosé par stiff from	**frisson** m. shiver
brandir to brandish	**lisse** smooth
buvard m. desk blotter	**mettre le verrou** to bolt the door
cendre m. ash	**miette** f. crumb
cygne m. swan	**rame** f. ream
défoncé staved in	**soulagement** m. relief
défunt dead	**survivre à** to survive
distribution f. cast (of a play)	**tiroir** m. drawer
encrier m. inkstand	

33. *Mounet-Sully ... Bartet.* Famous French actors and actresses
34. *chant ... cantonade* song behind the scenes
35. Enrico Caruso, Italian tenor (1873–1921)
36. *Certaines ... opinions* Some were acquiring opinions there
37. *au ... autres* as one observed the others listening to them with rapt attention
38. *plume ... amour* quill pen, from a swan's feather, lovingly sharpened
39. *Il ... aperçût!* It wouldn't have done for Mme. Olivier Hamanoux to see this!

l'an 1893. La poésie lui semblait une sorte de trahison. Qu'eût-
elle dit si elle avait vu ce titre fignolé avec la plume de cygne:
A la gloire d'une inconnue! Une inconnue, quand elle était
là, elle, Mme Olivier Hamanoux, avec sa stature de Junon,[40] sa
moustache, ses sourcils impérieux! Le poète n'avait jamais   5
trompé sa femme qu'en imagination. Mais quelle débauche![41]

Quand il fermait sa porte pour retrouver son papier, sa plume
et ses vers, il avait l'exquise sensation des amoureux qui met-
tent une barrière entre le monde extérieur et l'objet de leur
passion. Sa femme avait beau frapper, crier, s'insurger[42] contre 10
cette manie sénile. «Tu ne peux donc pas lire sans mettre le
verrou?» il faisait la sourde oreille...[43]

Dès qu'il eut réuni le nombre de feuillets convenable et la
somme suffisante,[44] le poète s'en alla trouver un libraire[45] auquel
il demanda le secret le plus absolu, et il publia: *A la gloire*   15
d'une inconnue! qu'il signa de ce pseudonyme: Hialmar. Dans
le plus grand mystère,[46] il envoya un service[47] aux maîtres, aux
critiques, et choisit un exemplaire sur papier de Hollande[48]
qu'il adressa à sa conjointe, avec cette dédicace: «A la femme

amoureux m. lover	**impérieux** imperious
barrière f. barrier	**maître** m. important writer
conjointe f. "better half"	**manie** f. obsession
convenable suitable	**secret** m. secrecy
exemplaire m. copy	**sourcil** m. eyebrow
feuillet m. sheet	**trahison** f. betrayal
fignolé meticulously inscribed	**tromper** to be untrue to

40. Juno (consort of Jupiter, represented as stately, haughty, and vindictive)
41. *Mais quelle débauche!* But how he had betrayed her there!
42. *avait...s'insurger* knocked, called, protested in vain
43. *faisait...oreille* turned a deaf ear
44. *la somme suffisante* enough money
45. In this context, *libraire-éditeur*, "publisher," would be expected. *Libraire*
    is usually "bookseller."
46. *Dans...mystère* Without confiding in anyone
47. *un service* complimentary copies
48. *papier de Hollande.* Paper of unusually fine quality for deluxe editions

de goût; à la femme d'esprit;[49] au dernier salon littéraire; à Mme Olivier Hamanoux.»

Quand celle-ci reçut le livre, elle faillit s'évanouir[50] de joie, lut un poème et fit part à[51] son mari de l'enthousiasme dans lequel la jetait cette œuvre d'un jeune. «Je suis sûre que tu trouveras ça mauvais; tu deviens envieux comme un vrai raté!» Il hochait la tête,[52] illuminé par une profonde jubilation intérieure. Et, le vendredi soir, le livre s'étalait à la meilleure place, sous la lampe.

—J'inviterai ce jeune homme pour vendredi prochain, déclara la maîtresse de maison. Je lui écrirai simplement ceci: Monsieur, j'ai lu, j'ai vibré, j'ai pleuré. Si un modeste plum-cake et un chocolat de famille,[53] entre confrères...[54] J'adresserai cela aux bons soins de[55] l'éditeur...

—Les bons soins d'un éditeur, qu'est-ce que cela peut être? grinça M. Morcade, qui était volontiers aigre.[56]

Le vendredi suivant, Mme Olivier Hamanoux soigna sa mise[57] et se planta dans les cheveux un plumet qui semblait s'agiter pour souhaiter la bienvenue[58] au néophyte. Hialmar

éditeur m. publisher	**néophyte** m. neophyte (a recent
envieux jealous	convert)
s'étaler to be displayed	**plumet** m. ostrich plume
grincer to snarl	**raté** m. "flop"
	vibrer to thrill

49. *la femme d'esprit* the woman of wit and intelligence
50. *faillit s'évanouir* almost swooned
51. *fit part à* informed
52. *hochait la tête* shook his head with indifference
53. *chocolat de famille* cozy cup of chocolate
54. *entre confrères* among fellow lovers of literature
55. *aux ... de* care of
56. *était volontiers aigre* was always ready to take a crack at somebody (M. Morcade's play on words cannot be rendered exactly in English.)
57. *soigna sa mise* dressed with special care
58. *s'agiter ... bienvenue* to be waving a welcome

surexcitait sa curiosité. «C'est Vigny, déclara-t-elle, avec quelque chose de Musset.[59] Je lui demanderai de nous lire *Souffrance,* cette admirable pièce dans laquelle il nous décrit la résignation de Socrate, en proie à cette mégère de Xantippe.»[60] Dix heures sonnaient.

—Comme il tarde,[61] murmura-t-elle.

Mais on lui apportait une dépêche. Elle la lut et devint livide. Le télégramme ne portait que ces mots:

Non, madame, je ne viendrai pas. *Je ne viendrai pas, parce que le plum-cake est rassis.*

dépêche f.	telegram	pièce f.	piece, poem
en proie à	in the clutches of	souffrance f.	suffering
mégère f.	shrew	surexciter	to excite

59. *Vigny, Musset* Alfred de Vigny (1797–1863) and Alfred de Musset (1810–1857), French poets and dramatists
60. Wife of Socrates, renowned for her vile disposition
61. *Comme il tarde* How late he is

EXERCICES

I. Faites le portrait d'Olivier Hamanoux.

:. Pourquoi n'est-il pas devenu un écrivain célèbre?
2. En quoi ses œuvres complètes consistaient-elles?
3. Quelle était sa vie quotidienne?
4. Pourquoi n'aimait-il pas les soirées de vendredi?
5. Que faisait-il le samedi matin?

II. Décrivez le salon littéraire de Mme Hamanoux.

1. Pourquoi les invités attendaient-ils le vendredi avec impatience?
2. Que faisaient M. Thielleux et M. Morcade?
3. De quoi Olivier s'inquiétait-il pendant la soirée?
4. Quels étaient les rafraîchissements? Pourquoi Mme Hamanoux les avait-elle choisis?
5. Décrivez le célèbre plum-cake.

III. Traduisez les phrases suivantes:

1. «Pour avoir méprisé ces nuances, tu vois où tu en es!»
2. Il avait perdu ses plus belles années de production à hésiter, à tâtonner et à raturer le lendemain ce qu'il avait écrit la veille.
3. «Et ne vous gênez pas, surtout; asseyez-vous carrément, tout au fond, le dos au mur; alors on est bien, autrement on bascule...»
4. Quand celle-ci reçut le livre, elle faillit s'évanouir de joie, lut un poème et fit part à son mari de son enthousiasme.
5. Mme Hamanoux soigna sa mise et se planta dans les cheveux un plumet qui semblait s'agiter pour souhaiter la bienvenue au néophyte.
6. Le sirop de groseille se trouvait remplacé par un étrange chocolat à goût de poussière et qui ne mettait sur la nappe, quand un maladroit renversait sa tasse, qu'une tache grisâtre.

IV. Traduisez les phrases suivantes:

1. On Saturday mornings Olivier would find cake crumbs under his blotter and cigarette ashes in his inkwell.
2. It was useless for Mme. Hamanoux to shout and knock on the door; her husband bolted the door just the same.
3. Mme. Hamanoux almost swooned when she read the words of the telegram that she had just received.
4. If the mattress tilted too much to the right, Olivier would wake up the next morning on the carpet.
5. Everybody made fun of the stale cake that Mme. Hamanoux bought once a week at a reduced price.

V. Faites une phrase avec chacune des expressions suivantes: s'écrier,
se récrier, tremper, tromper, se tromper.

VI. Écrivez en 25 lignes la composition suivante: La Vengeance d'Olivier Hamanoux.

PIERRE MILLE

Pierre Mille (1865–1941) has often been compared with Rudyard Kipling because of an outward similarity in their careers. After studying law Mille decided upon a career in journalism and, in pursuit of his calling, traveled extensively in Europe, Asia, and Africa. On several occasions he served as head of a diplomatic mission, acquiring thereby a wide acquaintance with men of all races, especially with the inhabitants of the French colonies. The best known works of this keen student of life are *Barnavaux et Quelques Femmes* (1908) and *Le Monarque* (1914). Barnavaux is a happy-go-lucky soldier in the colonial infantry, the counterpart of Kipling's Private Mulvaney. Le Monarque, a joyful *méridional,* is a descendant of the celebrated Tartarin of Tarascon. Pierre Mille shares with Henri Duvernois the distinction of being the most accomplished as well as the most prolific *petit conteur* of his generation. Although he has been criticized for his inordinate "manufacture" of short stories, his production is really an indication of his exuberance and vitality. His stories are characterized by a great diversity of background and incident. Mille is a shrewd psychologist, possessing a keen understanding of human affairs.

"L'Évasion" is taken from *Sous leur dictée* (1917), a collection of short stories inspired by Mille's observations during the First World War, when he served as the representative of *Le Temps* on the British front. It vividly describes how two daring French infantrymen escape from a German prison camp, in spite of the unusual precautions taken by their Prussian guards.

Pierre Mille

L'Évasion

À Achille Ségard

Ils portaient sur leurs capotes deux grandes croix rouges, l'une par devant, l'autre par derrière, qui les distinguaient des autres prisonniers; des croix faites d'une grossière étoffe dont l'éclat rude tranchait sur[1] le bleu de leur uniforme. Où qu'ils pussent[2] aller, cette marque devait les signaler à la particulière attention de leurs gardiens: ces deux-là avaient été repris après une tentative d'évasion:[3] il les fallait surveiller plus étroitement.

    Voilà ce que signifiaient ces bandes d'écarlate. De nombreuses expériences ont fini par l'apprendre aux Allemands:[4] ce sont toujours les mêmes[5] qui tentent de fuir. Tous les prisonniers ont horreur de la captivité, mais tout le monde ne peut pas faire un évadé. Il y faut[6] un indispensable assemblage de qualités physiques et morales, et ces qualités ne sont le privilège

assemblage m. combination	**étroitement** closely
capote f. soldier's overcoat	**évasion** f. escape
écarlate f. scarlet	**grossier** coarse
éclat m. brightness	**rude** glaring
étoffe f. material	**signaler** to call

  1. *tranchait sur* contrasted with
  2. *Où qu'ils pussent* Wherever they might
  3. *tentative d'évasion* attempted escape
  4. *ont ... Allemands* finally taught the Germans this fact
  5. *les mêmes* the same ones
  6. *Il y faut* For that, one must possess

que de quelques-uns: une espèce d'autonomie intellectuelle qui
rend l'individu capable de prendre seul une décision, de s'y
tenir et de l'exécuter,—la plupart des hommes ne savent agir
qu'en groupe—une intrépide résolution prévoyant les obstacles
5 et en[7] triomphant d'avance, en esprit;[8] une ingéniosité qui
sache dominer ceux de ces obstacles qu'on n'attendait pas,—ce
qui retient les autres, ce qui retient presque tous, malgré toutes
les misères, c'est la peur de l'inconnu—un corps susceptible de
résister aux plus longues marches, aux plus cruelles fatigues,
10 à la faim, aux nuits sans sommeil; le courage d'affronter, sans
armes, la mort des bêtes de chasse, des bêtes traquées; autant
que possible aussi la connaissance de l'allemand. Pour tous ces
motifs, les «évasionnistes»,[9] s'il est permis de créer ce mot, ne
sont qu'un sur[10] mille, ou même dix mille; et en leur infligeant
15 des stigmates apparents,[11] on restreint, dans une mesure déses-
pérante,[12] les chances de ces amants désespérés de la liberté.

Ces deux marqués de rouge erraient d'un air paisible et dé-
sœuvré près de la porte du camp. Ils ne regardaient pas les
sentinelles, mais s'en savaient regardés: un geste un peu dou-
20 teux et ils recevraient une balle dans la tête, presque à bout
portant. Insouciants, ils continuèrent leur promenade, qui sem-

---

à bout portant point-blank
affronter to face
autonomie f. self-sufficiency
balle f. bullet
bête de chasse f. hunted animal
désespéré desperate
désoeuvré idle
douteux suspicious

errer to wander
ingéniosité f. ingenuity
insouciant indifferent
misère f. privation
motif m. reason
paisible peaceful
restreindre to limit
susceptible capable

---

7. over them
8. *en esprit* in the mind
9. "escapists"
10. in a
11. *en...apparents* by branding them conspicuously
12. *dans...désespérante* to a discouraging degree

blait n'avoir pas de but, et s'éloignèrent de la porte, tournant le dos. Les yeux des sentinelles s'égarèrent ailleurs.

Un instant coula, puis les cuivres d'une musique **militaire se** firent entendre[13] au dehors. Il y avait aussi des fifres, dont le chant aigre et juste mordait le cœur; et des tambours dont le 5 rythme vous retentissait dans l'estomac. L'un des prisonniers dit à l'autre, à voix basse:

—C'est le moment!

Ils s'arrêtèrent. Les ondes sonores se rapprochaient. Les factionnaires tendaient l'oreille.[14] Ils étaient comme charmés: 10 *Frühling!*[15] *Frühling!* sonnaient les cuivres et les fifres. C'est une vieille chanson dont[16] les mères de la vieille Germanie bercent leurs enfants, et qui sert plus tard, par une ironie farouche, à mener ces enfants aux routes de la mort. Mais les factionnaires ne rêvaient pas de gloire et de combats. Ils re- 15 voyaient mille choses perdues dans l'ombre du passé,[17] langoureuses et douces: des jeux dans la rue du village, des glissades sur la neige, le café au lait[18] du matin, si sucré, ah! si sucré! et l'école même, où l'on s'en allait par petits groupes, en regar-

aigre shrill		**juste** precise	
bercer to rock to sleep		**langoureux** sentimental	
but m. goal		**mordre** to grip	
chant m. tune		**musique** f. band	
couler to slip by		**onde** f. wave (of sound)	
cuivre m. brass instrument		**se rapprocher** to draw near	
s'égarer to stray		**retentir** to resound	
factionnaire m. sentry		**sonore** deep-toned	
farouche cruel		**sucré** sweet	
glissade f. slide		**tambour** m. drum	

13. *se firent entendre* were heard
14. *tendaient l'oreille* listened intently
15. Springtime
16. with which
17. *l'ombre du passé* the shadowy past
18. *café au lait.* Coffee and milk, blended in almost equal proportions, **and** frequently served in a bowl

dant les petites filles, et en chantant cette même chanson: «Printemps! Printemps!...» Qu'ils étaient loin, ces printemps-là!...

Les sentinelles ne savaient plus qu'il y a au monde des prison-
5 niers. Redevenus enfants, tels des[19] enfants ils contemplaient, en lui présentant les armes, le régiment qui passait, au pas de l'oie—et les deux prisonniers franchirent la porte!

On ne les avait pas vus! On ne les avait pas vus! Tout de suite, ils prirent le long de[20] la palissade. Cette palissade était
10 leur abri, maintenant; c'était elle qui les cachait. Leur cœur battait très fort. Pourtant, l'un des deux dit à l'autre, avec un sourire crispé d'angoisse et de victoire:

—Je t'avais bien dit!

Et, intérieurement, malgré lui-même, il chantonnait: *Früh-*
15 *ling! Frühling!* Celui-là savait l'allemand.

Le second demanda:

—Tu sais où est la cabane?

—Oui, la seconde à main droite, sur la route.

Ils pénétrèrent dans la cabane. Elle était apparemment vide,
20 sauf quelques tuyaux de poêle, abandonnés et en mauvais état. Mais ils se réjouirent à les regarder. Le premier constata:

—Les copains ne nous ont pas manqué de parole: ils y sont, nos tuyaux!

abri m. shelter	palissade f. stockade
angoisse f. anxiety	pas de l'oie m. goose step
cabane f. shed	poêle m. stove
chantonner to hum	se réjouir to rejoice
constater to declare	sauf except for
copain m. buddy	tuyau m. pipe
crispé de tense with	vide empty
franchir to clear	

19. *tels des* like
20. *prirent ... de* walked along

En deux secondes, ayant dépouillé leurs capotes et leurs pantalons d'uniforme, ils apparurent vêtus comme des ouvriers, des ouvriers du pays, des ouvriers allemands. Sans parler, ils se rappelaient combien il avait fallu de temps, de ruse, pour voler ces vêtements, un à un, patiemment, aux civils[21] qui venaient 5 parfois exécuter quelques petits travaux dans le camp: un gilet par-ci, un pantalon par-là, une salopette une autre fois: du beau[22] travail, et de quoi[23] attraper chaque fois quinze jours d'exposition au poteau, sans compter la punition par la faim... Mais tout de même, ça y était![24] Se baissant vers les vieux 10 tuyaux de poêle, ils en firent tomber la suie, se noircirent le visage et les mains, puis les mirent sur l'épaule: ils avaient fini leur journée, ils revenaient du travail, ils étaient d'honnêtes fumistes allemands. Des fumistes! Ce mot les fit rire.[25]

L'un d'eux avait une boussole. La cachant dans le creux de 15 sa main, il la consulta. La petite aiguille noire, la précieuse aiguille noire, tourna et se fixa sur le nord, en tremblotant. Ils se dirigèrent vers le nord-ouest: c'était là qu'était la frontière hollandaise. Mais que c'était loin! Que c'était loin! L'idée de l'immensité de la terre les écrasa. On n'arriverait jamais! Ce- 20

aiguille f. needle	**gilet** m. vest
attraper to catch	**ouvrier** m. workman
se baisser to bend over	**pantalon** m. pair of breeches
boussole f. compass	**poteau** m. stake
creux m. hollow	**punition** f. punishment
dépouiller to shed	**salopette** f. pair of overalls
écraser to overwhelm	**suie** f. soot
exécuter to perform	**trembloter** to quiver
exposition f. exposure	**voler** to steal
fumiste m. chimney repairer	

21. *aux civils* from the civilians
22. *du beau* hard
23. *de quoi* enough
24. *ça y était* there they were
25. *Fumiste* also means "practical joker." The two escaping Frenchmen were amused by the trick they were playing on their German captors.

pendant, nul ne parla de s'en retourner. Un homme qui veut être libre est comme un fou: ses impulsions sont irrésistibles.

Le plus mince, qui était aussi le plus jeune, fit:

—Et si on rencontre des gens?

5 —On en rencontrera, répondit l'autre; il y a encore du monde en Allemagne.

Ils en rencontrèrent: des vieillards, des femmes, des enfants, qui les croisaient, indifférents. Peu à peu, ils reprenaient courage. Décidément, ils étaient bien déguisés. On ne les interro-
10 geait pas. Ils n'excitaient les soupçons de personne.

Tout à coup un grand diable, roux de cheveux et qui boitait d'une cuisse, les dévisagea longuement. Ils affermirent leurs jambes qui se dérobaient,[26] et continuèrent leur route en sifflant. Puis ils cessèrent de siffler, se souvenant que l'on dit que les
15 hommes qui sifflent ont peur.

Le grand rouquin ricana et prononça quelques paroles en allemand. Le premier évadé répondit quelque chose, le rouquin rit beaucoup plus fort et s'en alla.

—Qu'est-ce qu'il a dit? demanda le prisonnier qui ne savait
20 pas l'allemand.

Il claquait encore des dents.[27] Son camarade expliqua:

—Il a dit: «Bonjour, les astronomes!» A cause de nos tuyaux de poêle. Et j'ai répondu: «Ça n'est pas des téléscopes, c'est des 420!»[28]

boiter	to limp	**impulsion** f.	impulse
croiser	to pass	**mince**	thin
cuisse f.	leg	**ricaner**	to chuckle
dévisager	to stare	**rouquin** m.	redhead
diable m.	fellow	**roux**	red
fort	loudly	**siffler**	to whistle
fou m.	madman	**soupçon** m.	suspicion

26. *Ils...dérobaient* They steadied their legs, which were starting to wobble
27. *Il...dents* His teeth were still chattering
28. *c'est des 420* they're 420's (German mortars of 420 millimeters)

—C'est un bon truc, les tuyaux de poêle.

—Oui, c'est un bon truc. On s'en tirera.[29]

—On s'en tirera!

Leur cœur s'emplit d'une allégresse illimitée. Ils s'accor-
dèrent une halte dans un endroit solitaire pour dévorer le pain 5
qu'ils avaient emporté. Il n'y a que les prisonniers français en
Allemagne qui aient du pain comme ça, du pain blanc. Cela
pouvait les faire reconnaître.[30] Et quand ils eurent mangé, ils
se crurent plus certains encore du succès. Dans deux heures
la nuit allait tomber. Et ils marcheraient toute la nuit, toute 10
la nuit! Alors ils seraient si loin du camp que nul ne songerait
plus à les prendre pour ce qu'ils étaient: des soldats français,
en fuite.

Mais le plus jeune accrocha l'épaule de son ami:

—Une troupe, dit-il. Des soldats! Ils marchent en rang. Ils 15
viennent au-devant de nous!

Le camarade regarda.

—Ils n'ont pas d'armes, répliqua-t-il, excepté ceux qui les
mènent. Ce sont des prisonniers. C'est une corvée de camarades du camp qui revient. 20

Et l'autre cria, d'une voix déchirée:

—*Ils vont nous reconnaître!*

Oui, c'était là le danger, le grand, l'inévitable, le poignant
danger. Ils sentirent subitement le froid de l'air; leur chemise,

---

accorder to allow
accrocher to clutch
allégresse f. joy
au-devant de toward
corvée f. work gang
déchiré torn with emotion

s'emplir to be filled
fuite f. flight
poignant heart-rending
rang m. formation
subitement suddenly
truc m. trick

---

29. *On s'en tirera* We'll get out of this
30. *pouvait ... reconnaître* might give them away

trempée de sueur, leur colla sur le dos, glacée. S'il y avait[31] un traître, parmi les camarades! Non pas un traître pour de l'argent, un mouchard, mais un jaloux, un qui, n'ayant pas le cœur de s'enfuir, ne voulait pas que les autres eussent plus de
5 chance et plus d'énergie? Ce n'était pas probable, non, ce n'était pas probable! Ses frères de misère[32] l'eussent tué. Et il n'y a pas de tels lâches, parmi nous. Mais la surprise, la simple et malencontreuse surprise, le geste instinctif et funeste d'un maladroit?[33] C'était là qu'était le péril. Il leur parut écrasant,
10 ils défaillaient.[34] Quelque chose leur monta dans la gorge, comme s'ils allaient vomir.

Les soldats allemands ne daignèrent même pas les voir. Mais le second prisonnier de la première file eut une espèce de tic qui descendit de son front à ses pieds. Ce fut comme une
15 secousse électrique qui traversa toute la colonne. Ils savaient, ils savaient tous que ces deux-là étaient des copains, des copains qui ne voulaient pas accepter leur sort, qui couraient vers la frontière. Des lèvres muettes prononçaient leurs deux noms!—Et ce fut tout! On ne sait quoi plana, descendit, qui
20 était un commandement aux âmes.[35] Tous les yeux se baiss-èrent pour ne pas regarder, pour ne pas trahir. La troupe des

se baisser to be lowered	**mouchard** m. informer
coller to stick	**muet** silent
écrasant crushing	**secousse** f. shock
s'enfuir to run away	**sort** m. fate
funeste fatal	**sueur** f. sweat
glacé cold as ice	**trahir** to betray
jaloux jealous	**trempé** soaked
lâche m. coward	**tic** m. spasmodic twitching
malencontreux unlucky	

31. *S'il y avait* Suppose there were
32. *frères de misère* suffering companions
33. *d'un maladroit* of some clumsy fellow
34. *ils défaillaient* their strength was giving way
35. *On...âmes* A mysterious something hovered over these poor souls and descended upon them like a command

prisonniers, la troupe des malheureux qu'ils abandonnaient passa... Elle avait passé, on ne la voyait plus.

Les deux fugitifs s'écroulèrent dans un fossé. Leurs jambes refusaient de les porter. Le plus vieux dit à l'autre:

—Comme tu es pâle! Comme tu es pâle! 5

Et celui-ci lui retourna:[36]

—Toi aussi, tu es pâle. Mais pas tant que les camarades. As-tu vu leurs figures? Comme s'ils allaient s'évanouir. Ah! les braves gens! Les braves gens!

Deux jours et une nuit plus tard, ils arrivaient à la frontière: 10 une gare brillamment éclairée, du côté de la Hollande, et un pont. Ils franchirent ce pont sans difficulté. Une taverne était encore ouverte, près de la gare. Pour la première fois depuis[37] un an ils mangèrent à leur faim, burent à leur soif.[38] Leur insatiable appétit, leur joie parlèrent pour eux. L'hôte leur 15 demanda avec bonté:

—Vous venez de *là-bas?* Vous vous êtes enfuis?

Ils firent «oui», de la tête.

—Vous n'avez pas eu de mal? continua le Hollandais, curieusement. Il ne vous est rien arrivé? 20

—Non, dit le premier fugitif, rien... Ah! si, pourtant, une fois...

Il pensait aux camarades.

Publication of this story has been authorized by Pierre Mille and by Calmann-Lévy, Éditeurs; from *Sous leur dictée* (1917).

braves gens fine fellows	**gare** f. station
du côté de in the direction of	**hôte** m. proprietor
éclairé lighted	**mal** m. difficulty
s'écrouler to collapse	**pont** m. bridge
s'évanouir to faint	**si** yes (contradicting a negative
fossé m. ditch	statement)

36. replied
37. in
38. *mangèrent ...soif* ate and drank until they were satisfied

EXERCICES

I. Répondez aux questions suivantes:

1. Comment est-ce que les prisonniers ont pu sortir du camp malgré leurs deux croix rouges?
2. Racontez ce qu'ils ont fait après avoir franchi la porte du camp.
3. De quel côté se sont-ils dirigés ensuite? Pourquoi? Comment ont-ils déterminé leur direction?
4. Résumez la conversation du prisonnier avec le grand diable roux.
5. Quels autres incidents ont donné du courage aux évadés?
6. Comment savaient-ils que les soldats qui s'approchaient étaient des prisonniers?
7. Racontez ce qui est arrivé quand la troupe des prisonniers a passé devant les deux copains.
8. Qu'est-ce que les deux fugitifs se sont dit, quand ils n'ont plus vu leurs camarades?
9. Décrivez l'arrivée des deux prisonniers à la frontière.
10. Énumérez les qualités physiques et morales d'un «évasionniste».

II. Traduisez les phrases suivantes:

1. Un geste un peu douteux et ils recevraient une balle dans la tête, presque à bout portant.
2. Un instant coula, puis les cuivres d'une musique militaire se firent entendre au dehors.
3. Tout de suite, ils prirent le long de la palissade, qui était leur abri maintenant.
4. Tout à coup un grand diable, roux de cheveux et qui boitait d'une cuisse, les dévisagea longuement.
5. Ils sentirent subitement le froid de l'air; leur chemise, trempée de sueur, leur colla sur le dos, glacée.
6. Se baissant vers les vieux tuyaux de poêle, ils en firent tomber la suie, se noircirent le visage et les mains, puis les mirent sur l'épaule.
7. Ils portaient sur leurs capotes deux grandes croix rouges, faites d'une grossière étoffe dont l'éclat rude tranchait sur le bleu de leur uniforme.

III. Choisissez dans la colonne B l'équivalent anglais de chaque mot de la colonne A.

A	B		A	B
but	1. wave		dos	1. throat
abri	2. hollow		suie	2. sweat
onde	3. stove		sort	3. soot
creux	4. shelter		gorge	4. back
gilet	5. goal		lâche	5. ditch
copain	6. pipe		sueur	6. fate
étoffe	7. needle		fossé	7. shadow
poêle	8. material		cuisse	8. coward
tuyau	9. buddy		ombre	9. compass
aiguille	10. vest		boussole	10. thigh

IV. Traduisez les phrases suivantes:

1. It will be necessary to guard these prisoners more closely. They have already made two attempts to escape from the camp.
2. They would have received a bullet in the head, almost point-blank, if they had made a simple gesture.
3. The drums and fifes of a military band were heard along the stockade. The sentinels began to think of games in the village street and slides on the snow.
4. They blackened their hands and faces with soot. Then they put the old stovepipes on their shoulders, and started off toward the northwest.
5. The two fugitives knew that there weren't any such cowards in the work gang. However, some clumsy fellow, upon recognizing them, might make an instinctive and fatal gesture.

V. Faites une phrase avec chacune des expressions suivantes: ailleurs, à voix basse, se tirer de, tendre l'oreille, tout à coup.

VI. Écrivez en 25 lignes un résumé de "L'Évasion."

1. Les deux croix rouges.
2. Les sentinelles.
3. La musique militaire.
4. La cabane.
5. Rencontres avec des Allemands.
6. La corvée des camarades.
7. L'arrivée en Hollande.

III. Choisissez dans la colonne B l'équivalent anglais de chaque mot de la colonne A.

A	B	A	B
baja	dos	1. throat	
ubat	suis	2. sweat	
onde	toits	3. roof	
creux	gorge	4. back	
piler	flèche	5. ditch	
sapain	sueur	6. lure	
étoffe	fossé	7. shadow	
poêle	cuisse	8. coward	
rayon	ombre	9. compass	
aiguille	boussole	10. thigh	

IV. Traduisez les phrases suivantes:

1. It will be necessary to guard these prisoners more closely. They have already made two attempts to escape from the camp.

2. They would have received a bullet in the head, shot point-blank, if they had made a single gesture.

3. The drums and fifes of a military band were heard along the road. The skirmish began to think of games in the village street and skate on the snow.

4. They blackened their hands and faces with soot. Then they put on the old sabots on their shoulders, and started to journey the north...

5. ...

6. ...

V. Faites une phrase avec chacune des expressions suivantes:
se coucher, se lever, le bonheur, marcher sur la pointe...

VI. Écrivez en 25 lignes un résumé de "L'Evasion".

1. Les deux croix rouges.
2. Les sentinelles.
3. La musique militaire.
4. La cabane.
5. Rencontres avec des Allemands.
6. La corvée des camarades.
7. L'arrivée en Hollande.

L'Evasion 141

Vocabulary

Articles, common pronouns, simple numerals, and identical cognates, as well as words translated in the footnotes, have been omitted from this vocabulary. Otherwise, it contains all words to be found in the text, including those already listed in the visible vocabularies.

à   to, at, in, into, with, by, from
abandonner   to abandon
abat-jour *m.*   lamp shade
abattu   fallen
abîmé   soiled, ruined
abonné *m.*   a subscriber
abord: d' ∼   at first, first of all
aborder   to approach, speak to
abri *m.*   shelter
absolu   absolute
absolument   absolutely
académie *f.*   academy
accabler   to overwhelm
accalmie *f.*   lull
accès *m.*   fit
accidentel, -le   accidental
accommodant   accommodating
accompagner   to accompany
accomplir   to accomplish
accorder   to grant, allow
accourir   to run up
accoutrement *m.*   get-up
accrocher   to clutch, hang; **s'** ∼
   to cling
accueil *m.*   reception
acheter   to buy
acheteur *m.*   buyer
achever   to finish

acti-f, ve   active, alert
adieu   farewell
admettre   to admit, accept
admirati-f, -ve   admiring
admirer   to admire
adolescent *m.*   adolescent, teen-age
   boy
adresse *f.*   address; **à l'** ∼ **de**   in
   the direction of
adresser   to address, direct
adroit   clever, ingenious
affaibli   wan
affairé   bustling
affaires *f. pl.*   business
s'affermir   to strengthen oneself
afficher   to display
affirmer   to assert
affronter   to face
afin: ∼ **de**   in order to; ∼ **que**
   in order that
agacé   irritated
agent de police *m.*   policeman
agir   to act; **s'** ∼ **de**   to be a question of
agiter   to shake; **s'** ∼   to tremble
agréable   agreeable, pleasing
agréer   to accept, approve
agressi-f, -ve   aggressive

ahuri   dumfounded
aider   to aid, help
aigre   sour, shrill
aiguille *f.*   needle
ailleurs   elsewhere; d' ~ besides
aimablement   kindly
aimer   to like, love; ~ mieux   to
  prefer
ainsi   thus, like this (that)
aisément   easily
ajouter   to add
allée *f.*   walk, path
allégresse *f.*   joy
Allemagne *f.*   Germany
allemand *m.*   German
allemand   German
aller   to go; ~ bien   to be well;
  s'en ~ to go away, leave
allonger   to lengthen; s' ~ to
  stretch out
allumer   to light
alors   then
altesse *f.*   highness
amant *m.*   lover
amas *m.*   pile
âme *f.*   soul, spirit
Amérique *f.*   America
ami *m.*   friend
amical   friendly
amie *f.*   (girl) friend
amour *m.*   love
amoureux *m.*   lover
amoureu-x, -se   in love
amusant   amusing
amuser   to amuse; s' ~ to
  amuse oneself, have a good time
an *m.*   year
analogue   similar
analytique   analytic
ancien, -ne   ancient; former
anémone *f.*   anemone
angle *m.*   corner

angoisse *f.*   anxiety
animé   animated
s'animer   to become excited
ankylosé par   stiff from
année *f.*   year
annoncer   to announce
antichambre *f.*   outer office
anxiété *f.*   anxiety
apaisé   calmed
apaiser   to appease, pacify; s' ~
  to abate
apercevoir   to perceive; s' ~ de
  to notice
apitoyé   pitying
aplomb *m.*   assurance
apostrophe *m.*   reproach
apparaître   to appear
appareiller   to set up
apparemment   apparently
apparence *f.*   appearance; d' ~
  apparently
appartement *m.*   apartment
appartenir   to belong
appel *m.*   call; faire ~ à   to summon up
appeler   to call; s' ~ to be
  named
appétit *m.*   appetite
apporter   to bring
appréciation *f.*   estimation, opinion
apprendre   to learn
approcher: s' ~ de   to approach
approuver   to approve
appuyer (à)   to rest (against),
  lean (against)
après   after, afterward, later; d' ~
  from, according to
après-midi *m. or f.*   afternoon
arbre *m.*   tree
architecte *m.*   architect
ardoise *f.*   slate
argent *m.*   silver, money

argile *f.* clay
arme *f.* arm, weapon
arpenter to stride along
arrêter to stop; s' ~ to stop
arrière-boutique *f.* back room
arriver (à) to arrive, happen, succeed (in)
artiste *m.* artist
assaut *m.* assault
assemblage *m.* combination
asseoir to seat; s' ~ to sit down
assez (de) enough
assiette *f.* plate
assis seated
associer to associate; s' ~ (à) to associate oneself (with)
assurance(s) *f.* insurance
astiquer to polish
astronome *m.* astronomer
atelier *m.* studio
atteindre to attain, reach
attelage *m.* team of horses
attendre to await, anticipate, wait for; en attendant meanwhile
attendu anticipated
attente *f.* expectation
attention: avec ~ carefully
attentivement carefully
atterré horror-stricken, frightened
attirer to attract
attrait *m.* attraction
attraper to catch
aube *f.* dawn
aubergine *f.* eggplant
aucun no, none, not one, any
audace *f.* courage
auditoire *m.* audience
aujourd'hui today
auparavant before
auprès near, close by; ~ de near, with, into the presence of
auréole *f.* halo

aussi also, too; so, therefore; as
aussitôt immediately; ~ que as soon as
auteur *m.* author
automobilisme *m.* motoring
autonomie *f.* self-sufficiency
autoriser to permit
autoritaire overbearing
autour (de) around
autre other
autrefois formerly
autrement otherwise
avaler to swallow
avance: à l' ~ beforehand; d' ~ in advance
avancer to advance, bring forward, draw up; s' ~ to advance
avant before; ~ de, ~ que before; plus ~ further
avant-hier the day before yesterday
avare *m.* miser
avare miserly
avec with
avenir *m.* future
aventure *f.* adventure, trick
aventurière *f.* adventuress
avide eager
avidement eagerly
s'aviser to perceive
avoir to have, hold; to get, receive; to give; il y a there is (are); ago; qu'avez-vous? what's the matter with you? qu'y a-t-il? what's the matter?
avouer to confess

badaud *m.* idle fool
bagages *m. pl.* baggage
bahut *m.* chest
baissé lowered

baisser to bend over; **se ~ to** bend over, be lowered
se balancer to sway
balbutier to stammer
baliverner to talk idly
balle *f.* bullet
banal commonplace
banc *m.* bench
bande *f.* band, strip
banque *f.* bank
barbare *m.* uncivilized radical
barbe *f.* beard
barrer to bar
barrière *f.* barrier, gate, lattice
bas *m.* bottom; stocking
bas, -se low; lowered, down
basculer to seesaw
bateau *m.* boat
bâti built
bâton *m.* stick
battre to beat, lash; to sound
bavardage *m.* babbling; **~ à deux** chat
beau, bel, belle beautiful, fine, handsome
beaucoup (de) many, much
bec *m.* burner; **~ de gaz** gas jet
bêcher to dig
bégayer to stammer
belvédère *m.* lofty vantage point
bénéficier to benefit
béni blessed
bénitier *m.* holy water receptacle
bercer to rock (to sleep)
besogne *f.* chore, task
besoin *m.* need; **avoir ~ de** to need; **au ~** if need be
bétail *m.* cattle
bête *f.* beast, animal; **~ de chasse** hunted animal
bête stupid

bêtise *f.* stupidity
bibelot *m.* table (mantel) ornament
bibliothèque *f.* library
bien *m.* good; **~ s** blessings
bien well, much, very, indeed, really; **eh ~!** well (then)! **ou ~** or else; **être ~** to be comfortable; **~ que** (+ *subj.*) although
bientôt soon
bienveillant kindly
bienvenu: être le ~ to be welcome
bijou *m.* jewel; piece of jewelry
billet *m.* note, banknote
biscuit *m.* cracker
blanc, ~ he white
blanchir to whiten
blé *m.* wheat, wheat field
bleu blue
bœuf *m.* ox
boire to drink; **~ un coup** to have a drink
bois *m.* wood
boiter to limp
bon, -ne good
bondir to leap, jump up
bonheur *m.* happiness
bonhomme *m.* good fellow, old boy
bonjour good day, good morning
bonne *f.* maid
bonsoir good evening
bonté *f.* kindness
bord *m.* edge
bordé bordered
bosquet *m.* grove
bossu hunchbacked
botte *f.* boot
bottine *f.* shoe; **~ à clous** hobnailed boot

bouche *f.* mouth
bouchée *f.* mouthful
boucher *m.* butcher
bouffée *f.* puff; ~ **de pipe** cloud of pipe smoke
bouger to budge, move
bougre *m.* fellow
bouleversé upset, dismayed
bouquet *m.* clump
bourdonner to buzz
bourg *m.* town
bourricot *m.* donkey
bousculer to jostle
boussole *f.* compass
bout *m.* end, bit; **à** ~ **portant** point-blank
bouteille *f.* bottle
boutique *f.* shop
brancard *m.* shaft
branche *f.* branch
brandir to brandish
bras *m.* arm
brillamment brightly
brillant brilliant, shining
briller to shine
brise *f.* breeze
briser to break, shatter
brouille *f.* estrangement, falling out
bruit *m.* noise, sound, commotion; rumor
brun brown
brune *f.* brunette
brusque sudden
brusquement brusquely, suddenly
bruyère *f.* heather
bûcheron *m.* woodcutter
buisson *m.* bush
bulle *f.* bubble
bureau *m.* desk, office; ~ **de poste** post office

but *m.* goal
buvard *m.* desk blotter

ça *adv.* here
cabale *f.* intrigue
cabane *f.* shed
cabinet de travail *m.* den
cacher to hide
cadre *m.* frame
cafard: avoir le ~ to have the blues
café *m.* coffee
caillou *m.* pebble
caisse *f.* cashier's desk
calculer to calculate
calme calm, tranquil
calotte *f.* skull cap
camarade *m.* comrade, playmate, buddy
camomille f. camomile (tea)
campagne *f.* country, countryside; **à la** ~ in the country
canapé *m.* couch
canne *f.* cane; **grosse** ~ stout stick
capote *f.* soldier's overcoat
captivité *f.* captivity
car for
carafe *f.* water bottle
carcasse *f.* (hat) form
carré *m.* square
carreau *m.* pane
carrelage *m.* tile flooring
carrément squarely
carrière *f.* career
carte *f.* card, map; ~ **postale** postcard
carton *m.* cardboard file
cas *m.* case
casaquin *m.* short jacket
casser to break
cauchemar *m.* nightmare

cause *f.* cause; à ~ de on account of

causer to chat

causette: faire la ~ to have a chat

cave *f.* cellar

ce it; ~ qui, ~ que what

ce, cet, cette this, that

cela that

célèbre famous

célibataire *m.* bachelor

celui, celle that, the one; ~ -ci this one, the latter; ~ -là that one, the former

cendre *m.* ash

cent (a) hundred

centime *m.* centime (hundredth part of a franc)

cèpe *m.* large mushroom

cependant however

cercle *m.* circle

cérémonie *f.* public occasion

certainement certainly

certitude *f.* certainty

cerveau *m.* brain, mind

cesser to stop

chacun each one, everyone

chagrin *m.* regret, grief, sorrow

chaîne *f.* chain

chaise *f.* chair

châle *m.* shawl

chaleur *f.* heat, warmth

chambre *f.* room; ~ à coucher bedroom; la Chambre the Chamber of Deputies

champ *m.* field

chance *f.* chance, luck; avoir de la ~ to be lucky

chanceler to stagger

changer to change, vary; se ~ en to be changed to

chanson *f.* song

chant *m.* tune

chantant singsong

chanter to sing

chantonner to hum

chapeau *m.* hat

chapelet *m.* rosary

chaque each

charbonner to smoke

chargé (de) loaded (with)

charger to commission

charmant charming

charme *m.* charm; se porter comme un ~ to be in perfect health

charmé enchanted

charron *m.* wheelwright

chasser to drive out

château *m.* country house

chauffage *m.* heating

chaume *m.* thatch

chaussé de wearing

chaussée *f.* road

chauve bald

chef-d'oeuvre *m.* masterpiece

chemin *m.* road, way; rebrousser ~ to turn away

chemineau *m.* tramp

cheminée *f.* fireplace, chimney, mantelpiece

chemise *f.* shirt

chêne *m.* oak; ~ clair light oak

ch-er, -ère dear, expensive

chercher to seek, look after

chéri beloved

chérie *f.* dear one; ma ~ dearest

chéti-f, -ve puny, unworthy

cheval *m.* horse

chevet *m.* head

cheveux *m. pl.* hair

chez at (to) the house of

chien *m.* dog

chiffonner to drape over

choc *m.* shock, surprise

chocolat *m.* chocolate; crotte *f.* en ~ chocolate drop

chocolat chocolate-colored

choisir to choose

chose *f.* thing; autre ~ que anything else than

chou *m.* cabbage

choyé pampered

chronique *f.* report

chuchoter to whisper

chut sssh

ciel *m.* sky

ci-joint enclosed

cime *f.* top

cimetière *m.* cemetery

cinquante fifty

cinquième fifth

circonstance: en la ~ under the circumstances

cirer to polish

ciseaux *m. pl.* scissors

citer to cite

citron lemon-colored

clair *m.* light; au ~ de la lune in the moonlight

clair clear, gay, open; chêne ~ light oak

clairsemé scattered

clameur *f.* outcry

claquer to flap

clarté *f.* light

classique traditional

clef *f.* key

clerc *m.* clerk

client, cliente *m., f.* patient

cochon *m.* pig

coeur *m.* heart; avoir le ~ pris to be in love

coiffer to cover

coiffeuse *f.* dressing table

coin *m.* corner

col *m.* collar

colère *f.* anger

collaboratrice *f.* collaborator

collège *m.* school

coller to stick

colonne *f.* column

combien (de) how much, how many

comme as, like, how, when

commencement *m.* beginning; dans les ~s at first

commencer to begin

comment how

commission *f.* errand

communiquer to communicate

compagne *f.* companion

compenser to compensate (for)

complètement completely

composé composed

compositeur *m.* composer

compotier *m.* fruit dish

comprendre to understand

compte *m.* account, report; se rendre ~ (de) to realize

compter to count

comptoir *m.* counter

concevoir to conceive

conclure to conclude

conduire to lead, drive

confiance *f.* confidence

confier to entrust, speak confidentially

confiseur *m.* confectioner

confondu disconcerted

confortable comfortable

congé *m.* notice

congédier to dismiss

congestionné red-faced

conjointe *f.* spouse, "better half'

conjugal marital

connaissance *f.* knowledge, acquaintance

connaisseur *m.* connoisseur
connaître to know, meet
connu well-known
conquérir to win
consacrer to devote
conseil *m.* council; advice, piece of advice
consentir to consent
considération *f.* respect
constater to note, declare
consulter to consult
conte *m.* story
contempler to contemplate, look at
contenir to contain
content glad
contenu *m.* contents
continuer to continue
contre against; **par ~** on the other hand
convaincre to convince
convenable suitable
convoiter to covet
convulsi-f, -ve convulsive
copain *m.* buddy
copie *f.* copy
corps *m.* body
corvée *f.* work gang
côté *m.* side; **de l'autre ~ de** on the other side of; **à ~** in the next room; **à ~ de** beside; **à leurs ~ s** beside them; **du ~ de** in the direction of
côtelette *f.* chop
cou *m.* neck
se coucher to lie down, go to bed
couler to flow, glide; to spend, slip by
couleur *f.* color
coup *m.* blow; **~ de gueule** growl; **~ d'oeil** glance; **~ de pied** kick; **~ de poing** punch;

~ de téléphone telephone call; **tout d'un ~** all at once; **boire un ~** to have a drink
coupe *f.* cut, cutting
couper to cut, cross, intersect
couplet *m.* verse
cour *f.* court, courtyard, yard
courbe *f.* curve
se courber to bend over
courir to run
courrier *m.* mail
cours *m.* course
court short
coussin *m.* cushion
couteau *m.* knife
coûter to cost
couteu-x, -se expensive
coutume *f.* custom; **de ~** usually; **avoir ~ de faire quelque chose** to be in the habit of doing something.
coutumi-er, ère customary, usual
couvert *m.* place (at table); **mettre le ~** to set the table
couvert covered
couvre-pied *m.* coverlet
craindre to fear
se cramponner to cling
craquer to crack
créancier *m.* creditor
créer to create
crépiter to crackle
crépuscule *f.* twilight
crétin *m.* idiot
creuser to dig; **se ~** to become wrinkled
creux *m.* hollow
cri *m.* cry
crier to shout, cry; to creak
crispé (de) tense (with)
crisser to grate
critique *m.* critic

croire to believe
croiser to pass
croix *f.* cross
croûte *f.* crust
cruel, -le cruel
cueillir to pick (up)
cuisine *f.* kitchen
cuisinière *f.* cook
cuisse *f.* thigh, leg
cuivre *m.* brass instrument
culture *f.* cultivation
curieusement curiously
curieu-x, -se curious, peculiar
curiosité *f.* curiosity
cuvette *f.* basin
cygne *m.* swan; plume *f.* de ~ quill pen
cylindrique cylindrical

dactylographier to type
daigner to deign
dame *f.* lady
dans in, into
danser to dance
dater (de) to date (back)
davantage more, longer
de of, from, to, in, with; than; some
déblayer to clear off
déboucher to emerge, reach the end
debout standing
décacheter to unseal
décapité decapitated
décès *m.* decease
déchiffrer to decipher
déchiré torn with emotion
décidément decidedly
décider to decide
déclarer to declare, tell
déconvenue *f.* disappointment
décor *m.* setting

découvrir to discover
décrire to describe
décrocher to unhook, lift
dédaigné disdained, disregarded
dedans inside
dédicace *f.* dedication
se dédorer to become less golden
déférent respectful
défoncé staved in
défraîchi worn
défunt dead
dégarni bare
déguiser to disguise
dehors outside; au ~ outside
déjà already
déjeuner *m.* lunch
delà: au ~ de beyond
délai *m.* delay
demain tomorrow
demande *f.* request, proposal
demander to ask (for), demand; se ~ to ask oneself, wonder
démarche *f.* gait, step
déménagement *m.* (household) moving
déménager to move away
demeure *f.* dwelling
demeurer to remain, reside, live
demi half
démission *f.* resignation, "notice"
demoiselle *f.* lady, (single) woman
dénouement *m.* denouement (the "unravelling," or outcome, of a play or novel)
se dénouer to be cleared up
dent *f.* tooth
départ *m.* departure
dépasser to surpass
dépêche *f.* telegram
se dépêcher to hurry (up)
dépenser to expend

dépit *m.* vexation
déplier to unfold
déployer to unfurl
déposer to drop off; **se ~** to rest
dépouiller to shed
dépourvu devoid
depuis since, for; **~ que** (ever) since
déranger to disturb
déréglé excited
derni-er, -ère last; worst
dérober to steal
derrière behind; **par ~** behind
dès que as soon as
désagréable distasteful
désappointé disappointed
descendre to descend, come down, go down
désespéré desperate, in despair
se désespérer to be in despair
déshonneur *m.* dishonor
désir *m.* desire
désobliger to offend
désoeuvré idle
désordonné uncontrollable
désormais henceforth
dessus over, upon; **au ~ de** above
dévaler to descend
devant in front (of), before; in the face of; **par ~** in front; **au ~ de** toward
devanture *f.* show window, front (of a building)
devenir to become
deviner to guess, divine
devoir *m.* duty
devoir to owe; must, have to, should, ought to; be (about) to
dévorer to devour
dévoué devoted

diable *m.* devil, fellow
Dieu *m.* God; **mon ~!** good heavens!
difficile *m.* difficulty
difficile difficult
digérer to digest
digne dignified, worthy
dimanche *m.* Sunday
dîner *m.* dinner
dîner to have dinner
dire to say, tell; **c'est-à-~** that is (to say)
directeur *m.* editor
diriger to direct; **se ~** to direct one's steps, proceed
discuter to discuss
disparaître to disappear, depart, pass away, go
disposer to place
disposition *f.* arrangement
distingué distinguished
distinguer to distinguish
distribution *f.* cast (of a play)
divan *m.* davenport
divorcé divorced
divorcer to divorce, obtain a divorce
docteur *m.* doctor
doigt *m.* finger
domestique *m. or f.* servant; maid
dominateur domineering
dominer to dominate, look down upon
dommage *m.* damage; **c'est ~** it's a pity
don *m.* gift
donc then; therefore
donner to give
dont whose; of (at, by, from, with) which, of (at, etc.) whom
doré golden

dormir to sleep
dos *m.* back
doucement gently
douceur *f.* sweetness, gentleness
douloureu-x, -se sorrowful
doute *m.* doubt
douter to doubt; se ~ to suspect
douteu-x, -se suspicious
dou-x, -ce soft, sweet
douze twelve
drame *m.* drama
dresser to set (up); se ~ to straighten up, sit up
drogue *f.* drug
droit *m.* right
droit right
dru thick
dupe deceived, taken in
dur hard
durer to go on, last
du reste besides
dynamique dynamic

eau *f.* water
éblouir to dazzle
éblouissant dazzling
écailleu-x, -se scaly
écarlate scarlet
échanger to exchange
échantillon *m.* sample
échapper to escape
s'échauffer to become excited
s'échiner to wear oneself out
éclairer to light; s' ~ to brighten up
éclat *m.* brightness
éclatant ostentatious
éclater to burst (out)
école *f.* school
économe economical, thrifty

écoulé elapsed
écouter to listen (to)
écrasant crushing
écraser to crush; s' ~ to collapse
s'écrier to cry, cry out, exclaim
écrire to write
écriture *f.* handwriting
écroulement *m.* collapse
s'écrouler to collapse
écureuil *m.* squirrel
éditeur *m.* publisher
effacé retiring
effacer to erase; s' ~ to stand aside
s'effarer to become frightened
s'effectuer to take place
effet *m.* effect; en ~ as a matter of fact; indeed
s'efforcer to exert oneself, strive
s'effriter to crumble
égal equal, even
s'égarer to stray
égyptien, -ne Egyptian
élargir to spread out
électricité *f.* electricity
électrique electric
élevé brought up, trained
s'éloigner to move away
émaner to emanate
embêter to bore
embrasser to embrace
emmanché rigged out
s'émouvoir to be moved, take pity
empêcher to prevent
s'emplir to be filled
emploi *m.* employment, job
employé *m.* clerk, office worker
emporter to carry away
emprunt *m.* loan
emprunter to borrow

ému moved, disturbed, wistful; quivering with emotion

en in, into, within, to, while; of, because of it (him, her, them)

encenser to burn incense to

encombré congested

encombrement *m.* traffic jam

encombrer to encumber

encore again, yet, still, even

encre f. ink

encrier *m.* inkstand

s'endormir to fall asleep

endosser to put on

endroit *m.* place, spot

énergie f. energy

enfance f. childhood

enfant *m. or f.* child

enfermé shut up

enfin finally, at last; in fact, in short; anyway

enfoncé deep set, sinking

s'enfoncer to sink

enfouir to bury

s'enfuir to run away

engagé captive

s'engager to enter service; ~ **dans** to enter

énigmatique enigmatic

enivrer to delight

enlever to carry along, carry away

ennuyer to bore; **s'** ~ to be bored

énorme enormous

ensemble together

ensuite then, afterward

entendre to hear; to understand

entendu agreed; **bien** ~ of course

enthousiasme *m.* enthusiasm

entourer to surround

entraîner to drag

entr' aperçu half noticed

entre among

entrecoupé broken

entrée f. entrance

entrer to enter

enveloppe f. envelope

envelopper to envelope

envie f. desire, inclination

envier to envy

envieu-x, -se jealous

envisager to consider

s'envoler to take wings, fly away

envoyer to send

s'épancher to pour out one's heart

épatant marvelous

épaule f. shoulder

éperdument madly

époque f. period, "day"

épouser to marry

époux *m.* husband; *m. pl.* husband and wife

éprouver to experience, feel

s'équilibrer to balance

Ermitage *m.* Hermitage

errer to wander

escabeau *m.* stool

escalier *m.* stairs

espèce f. sort

espérance f. hope

espérer to hope

espoir *m.* hope

esprit *m.* mind

esquimau *m.* Eskimo

essarts *m. pl.* cleared land

essayer to try

essuyer to wipe

esthète *m.* aesthete

estime f. esteem

estomac *m.* stomach

établir to establish, set

étage *m.* floor

s'étaler to be displayed

état *m.* condition
été *m.* summer
étendre to stretch, spread, extend;
  s' ~ to stretch out
éternel, -le eternal
étiquette *f.* label
étoffe *f.* material
étoile *f.* star
étonnant astonishing
étonné astonished, surprised
étourdi dazed
étrange strange
étranglé choked, choking
être to be
étroit narrow
étroitement closely
étude *f.* office, study
étudiant *m.* student
étudier to study
évadé *m.* escaper, escapee
s'évader to escape
s'évanouir to faint
évasion *f.* escape
éveiller to awaken, excite, arouse;
  s' ~ to wake up
éventer to smell
évidemment evidently
éviter to avoid
évocation *f.* recollection
évoquer to stimulate, recall
exactement exactly
exalter to glorify
examen *m.* examination
excepté except
s'exclamer to exclaim
excuser to excuse, forgive
exécuter to execute, perform
exemplaire *m.* copy
exhaler to emit, give forth
exiger to demand
exister to remain
expédier to mail

explication *f.* explanation
expliquer to explain
explorer to explore
exposer to explain
exposition *f.* exposition, exposure
exprimer to express
exquis exquisite
extérieur outer
extériorisation *f.* externalization

fable *f.* story
fabuleu-x, -se fabulous
façade *f.* façade (front of a building)
face *f.* face; ~ à facing; en ~
  straight at, straight in the face;
  en ~ de opposite
fâcheu-x, -se troublesome
facile easy
facilité *f.* ease
façon *f.* manner, fashion
facteur *m.* postman
factionnaire *m.* sentry
facture *f.* bill
fade dull
faiblesse *f.* weakness
faim *f.* hunger
faire to do, make; to say; se ~
  to become
faiseur *m.* intriguing blowbag
falloir to be necessary, need, have
  to
falot colorless; odd
fameu-x, -se famous
famille *f.* family
se faner to wither
fantaisie *f.* fancy
fantasque capricious
fantôme *m.* specter, ghost
farouche cruel
fascicule *m.* instalment
fatiguer to tire

faucher to mow
faute *f.* fault
fauteuil *m.* armchair
fauve tawny
fau-x, -sse false
faux col *m.* collar
faveur *f.* favor
favori *m.* side whisker
favori, -te favorite
fébrilement feverishly
féliciter to congratulate
femme *f.* woman, wife; ∼ de chambre lady's maid; ∼ de ménage cleaning woman
fendre to split
fenêtre *f.* window
fer *m.* iron
ferme *f.* farm
ferme firm, unshaken
fermer to close
féroce ferocious
feu *m.* fire
feuillage *m.* foliage
feuille *f.* leaf, sheet
feuillet *m.* sheet
fiacre *m.* cab
ficelle *f.* piece of string
fidèle faithful
fidélité *f.* fidelity, exactness
fi-er, -ère proud
fièvre *f.* fever, restlessness; avec ∼ excitedly
fiévreusement impatiently
fifre *m.* fife
fignolé meticulously inscribed
figure *f.* face; faire bonne ∼ à to receive hospitably
figurer to figure, be on exhibit
file *f.* row
fille *f.* daughter; jeune ∼ girl; petite ∼ little girl; vieille ∼ spinster, old maid

fillette *f.* young girl
fils *m.* son
fin *f.* end; de ∼ septembre of late September
fin delicate; extreme; shrewd
finir to finish
fissure *f.* crack
fixé appointed
flamme *f.* flame
flanelle *f.* flannel
flâner to loiter
fleur *f.* flower
fleuve *m.* river
flot *m.* flood, stream, host (of memories)
foi *f.* faith
fois *f.* time; une ∼ once; à la ∼ at the same time
fonction *f.* duty
fonctionnaire *m.* government office worker
fond *m.* bottom, back, end, background
fonder to found
force *f.* force; à ∼ hard; de toutes ses ∼ s with all his might
forcer to compel, oblige
forêt *f.* forest
forme *f.* form
former to form
formuler to form, formulate
fort strong, robust
fort *adv.* very, very much, greatly, loudly
fortement emphatically
fortune *f.* chance
fossé *m.* ditch
fou *m.* madman
fou, fol, folle mad, insane, wild, beside oneself; ∼ de gaieté irrepressibly happy

fougère f. bracken
foulard m. silk scarf
foule f. crowd
fourmi f. ant
fournisseur m. tradesman
fournitures f. pl. supplies
foyer m. hearth, home
fra-is, -îche fresh
français French
franchir to clear, cross
frapper to knock
frémir to shudder
frémissement m. thrill
frêne m. ash (tree)
fréquenter to associate with
frère m. brother
frileu-x, -se chilly
frisson m. shiver
frissonner to shiver
froid m. cold; avoir ~ to be
cold
froid cold
fromage m. cheese
froncer to wrinkle; ~ les sourcils
to frown
front m. forehead
frontière f. frontier
frustrer de to cheat out of
fugitif m. fugitive
fuir to flee
fuite f. flight
fumer to smoke
fumiste m. chimney repairer
funeste fatal
furieu-x, -se furious
furti-f, -ve furtive

gâché spoiled
gagner to win, earn; to take hold
of; to reach
gai gay
gaieté f. gaiety

gaillard m. fellow
galant gallant, polite
gamin m. youngster
gant m. glove
garantir to guarantee
garçon m. boy; waiter; chap, fellow; ~ du journal office boy
garde m. guard, forester; ~ municipal military policeman; en
~ on guard
garde f. guard
garder to keep, retain
gardien m. guard
gare f. station
gars m. lad
gâté spoiled
gâteau m. cake
gauche left; à ~ to the left
gaz m. gas; bec m. de ~ gas jet
geindre to whine
gémir to groan, moan
gêner to annoy, embarrass
génie m. genius
genre m. kind
gens m. and f. pl. people; braves
~ fine fellows
gentil, -le nice
Germanie f. Germany
geste m. gesture
gibecière f. game bag
gilet m. vest
glacé cold as ice
glapir to screech
glapissement m. screeching,
screaming
glissade f. slide
glisser to slip, slide; to whisper
gloire f. glory, pride, fame; à la
~ de in homage to
gond m. hinge
gorge f. throat
gosse m. youngster

goût *m.* taste

grâce *f.* charm, grace

gracieu-x, -se graceful, attractive

grand large, great, tall

grange *f.* barn

graphologie *f.* graphology (study of handwriting)

graphologue *m.* handwriting expert

grappilleur *m.* gleaner

gratter to scratch

gratuit free

gravement gravely

gravier *m.* gravel

gravir to climb

gré: au ~ de at the pleasure of

grelot *m.* harness bell

grignoter to nibble

grille *f.* railing, iron gate

grimacer to grin

grimper to climb

grincement *m.* grinding

grincer to scratch, snarl

gris gray

grisâtre grayish

grisé intoxicated

grisonnant turning gray

grognement *m.* groan

gros, -se big

groseille *f.* red currant

grossi-er, -ère coarse

groupe *m.* group

guêpe *f.* wasp

guère hardly, scarcely; ne . . . ~ hardly, by no means

guérir to cure

guerre *f.* war

guêtre *m.* leggings

guetter to watch

gueule *f.* coup *m.* de ~ growl

guise: à sa ~ to suit one's pleasure

An asterisk (*) denotes aspirate h.

habile skilful, expert

habilement cleverly

habillé (de) dressed, wrapped (in)

habiller to dress; s' ~ to get dressed

habiter to occupy, live (in)

habits *m. pl.* clothes

habitude *f.* habit; d' ~ as usual

habitué *m.* "regular"

habituel, -le customary

habituellement usually

habituer to accustom; s' ~ to get used

*haie *f.* hedge

haleine *f.* breath

*haletant gasping

*halte! halt!

*hameau *m.* hamlet

*hanche *f.* hip

*hanté haunted

*hardi bold, daring

*hasard *m.* chance

*hâte *f.* haste; avoir ~ de to be eager to; en ~ hurriedly

*se hâter to hasten, hurry along

*haut *m.* top; en ~ de at the top of

*haut high, tall; tout ~ aloud

*hauteur *f.* upland

*hé! hé! well! well!

*hein? huh?

hélas! alas!

héritage *m.* inheritance

hésitant hesitating

hésiter to hesitate

heure *f.* hour; de bonne ~ early; une ~ one o'clock; tout à l' ~ just now

heureusement fortunately

heureu-x, -se happy

*heurt *m.* sound
*heurter to hit; se ~ to jostle
hier yesterday
histoire *f.* story
hiver *m.* winter
*hocher to nod
*Hollandais *m.* Dutchman
*hollandais Dutch
*Hollande *f.* Holland
homme *m.* man
honnête honest, honorable
honneur *m.* honor
*honte *f.* shame
*honteu-x, -se shameful
*hoquet *m.* hiccup
horloge *m.* clock
horreur *f.* horror, monstrosity;
    avoir ~ de to detest
*hors de out of
hôte *m.* proprietor
hôtel *m.* hotel, mansion
*houle *f.* surge
huile *f.* oil
huis *m.* door
humain human
humeur *f.* humor
humide damp; out of tune
humilité *f.* humility
*hurler to roar, yell, howl
hypothèse *f.* possibility

ici here; par ~ this way
idée *f.* idea
idéo-analytique ideo-analytic
idiot foolish
idylle *f.* idyl, romance
ignorer to be ignorant of
illimité unlimited
illuminé lighted; stirred
image *f.* image, picture, metaphor
imaginaire imaginary

imaginer to imagine; s' ~ to
    picture
immensité *f.* immensity
immobile motionless
immobilisé standing
impassible unconcerned
impayé unpaid
impérieu-x, -se haughty
imperturbablement imperturbably
importer to matter
importun unwelcome
imposant imposing, impressive
imposer to impose; en ~ à to
    overawe; s' ~ to become neces-
    sary
imprimer to print
imprudemment imprudently
impulsion *f.* impulse
inaccoutumé unaccustomed
incliner to dispose (one)
inconnu unknown
inconnue *f.* unknown woman,
    stranger
indécis indecisive
indéniable undeniable
indigeste indigestible
indiquer to indicate
individu *m.* individual
industriel *m.* manufacturer
inespéré unhoped for
infernal hellish
infidèle *f.* faithless one
infini infinite; des temps ~ s a
    long, long time
infirme *m.* cripple
informer to inform; s' ~ to in-
    quire
infortune *f.* adversity
ingénieu-x, -se ingenious
ingéniosité *f.* ingenuity
injouable unactable
injurier to insult

inlassablement tirelessly
inonder to flood
inopportun untimely
inqui-et, -ète anxious
inquiéter to disturb, worry
inquiétude *f.* anxiety
insérer to insert, publish
insinuer to hint
insondable fathomless
insouciant indifferent
inspecteur *m.* agent
installer to establish; s' ~ to set
  oneself up
instincti-f, -ve instinctive
intellectuel, -le intellectual
intéressant interesting
intéresser to interest
intérêt *m.* interest
intérieur inner
intérieurement inwardly
interroger to question
intervenir to interpose
intime intimate
intitulé entitled
intonation *f.* tone (of voice)
intrépide intrepid, dauntless
introduire to introduce
intrus *m.* intruder
inviter to invite
ironie *f.* irony
irrésolu irresolute
irriter to irritate; s' ~ to grow
  angry
Italie *f.* Italy; d' ~ Italian

jadis formerly, (in) olden days
jalousie *f.* jealousy
jalou-x, -se jealous
jamais never; ever
jambe *f.* leg
jaquette *f.* coat
jardin *m.* garden

jaune yellow
jeter to throw, cast
jeu *m.* game
jeune young
joie *f.* joy
joli pretty, attractive
joue *f.* cheek
jouer to play
jouir (de) to enjoy
jour *m.* day; ~ à ~ day by day
journal *m.* newspaper
journée *f.* day
joyeusement joyfully
joyeu-x, -se joyful
jubilation *f.* rejoicing
jugement *m.* judgment
juger to judge
juillet *m.* July
jurer to swear
jusque until; jusqu'à as far as;
  jusqu'ici up to now
juste precise
justement! exactly!

kilomètre *m.* kilometer (about ⅝
  of a mile)

là there
là-bas over there
lâche *m.* coward
lâcheté *f.* cowardice
là-dessous underneath
là-haut up there
laine *f.* wool
laisser to leave, let
lait *m.* milk
lamentablement lamentably
lampe *f.* lamp
lancer to hurl, blow
langoureu-x, -se languorous, sentimental
langue *f.* language

langueur *f.* languor
lapin *m.* rabbit
larme *f.* tear
las, -se tired
laver to wash
leçon *f.* lesson
lecteur *m.* reader
lecture *f.* reading
lég-er, -ère light, slight
légèreté *f.* agility
lendemain *m.* next day
lentement slowly
lequel, laquelle, lesquels, lesquelles
  which, which one(s)
lettre *f.* letter
levée *f.* embankment
lever to raise
lèvre *f.* lip
liberté *f.* liberty
libre free
lien *m.* bond
lieu *m.* place; avoir ~ to take
  place; au ~ de instead of
limite *f.* limit
limon *m.* mud
linge *m.* linen
lire to read
lisse smooth
lit *m.* bed
litre *m.* liter (about ⅞ of a quart)
littéraire literary
livide livid, ashy-pale
livre *m.* book
livrer to deliver
locataire *m.* tenant
logement *m.* quarters
loin far (away); au ~ in the
  distance; de ~ from a distance;
  plus ~ farther (on)
long *m.* length; le ~ de along
long, -ue long
longer to walk along

longtemps a long time
longuement long, for a long time
lorgnon *m.* eyeglasses
lors then
lorsque when
loup *m.* wolf
lourd heavy
loyal straightforward
lucarne *f.* attic window
lueur *f.* gleam
lumière *f.* light
lune *f.* moon
lutter to struggle
lycée *m.* school

mademoiselle *f.* Miss
magasin *m.* store
magnifique magnificent
maigre thin, skinny, puny
main *f.* hand
maintenant now
maire *m.* mayor
mais but
maison *f.* house, firm; ~ natale
  birthplace; à la ~ at home
maisonnette *f.* cottage
maître *m.* master, employer; important writer
maîtresse *f.* mistress; ~ de maison
  hostess
mal (*pl.* maux) *m.* pain, difficulty
mal ill, badly, wrongly
malade *m.* patient
malade sick
maladie *f.* illness
maladroit *m.* awkward person
malencontreu-x, -se unlucky
malgré in spite of
malheur *m.* misfortune; par ~
  unfortunately
malheureu-x, -se unhappy
malin *m.* rascal

maman *f.* mamma

manche *f.* sleeve

manger to eat; **donner à** ~ to feed

manie *f.* obsession

manière *f.* manner, style

manifeste *m.* manifesto

manifester to manifest

manque *m.* lack

manquer to miss; ~ **de parole** to fail, let (someone) down

manuscrit *m.* manuscript

marbre *m.* marble

marchander to bargain

marchant *m.* merchant, dealer

marché *m.* market; **à bon** ~ inexpensive; **à meilleur** ~ more cheaply

marche *f.* march, step, walking, progress

marcher to go, walk

mari *m.* husband

mariage *m.* marriage

marier to marry (off)

marmonner to mumble

marque *f.* mark

marquer to mark

marraine *f.* godmother

masquer to conceal

masse *f.* mass

matelas *m.* mattress

matin *m.* morning

maudire to curse

maudit cursed

mauvais bad, ill

méchant wicked

mèche *f.* wick

médecin *m.* doctor

médicament *m.* medicine

médiocrité *f.* mediocrity; mean existence

méfiance *f.* distrust

mégère *f.* shrew

meilleur better; **le** ~ best

mélancolie *f.* melancholy

mélancolique melancholy

même *adj.* same, very; **lui-** ~ himself, itself; **moi-** ~ myself; **eux-** ~ **s** themselves

même *adv.* even; **tout de** ~ just the same

mémoire *f.* memory

menace *f.* threat

ménage *m.* household; **femme de** ~ cleaning woman

ménagère *f.* housewife

mendiant *m.* beggar

mendicité *f.* begging

mener to lead

mensonge *m.* lie

mentir to lie

menu tiny

mépriser to scorn, despise

merci *m.* thanks, thank you

mère *f.* mother

mérite *m.* attainment

mériter to deserve

merle *m.* blackbird

mesquin shabby

mesure *f.* measure; **à** ~ **que** as

métier *m.* profession, occupation

mètre *m.* meter (3.28 feet)

métro *m.* subway

mettre to put (on); to set; ~ **à la poste** to mail; **se** ~ **à** to begin (to)

meubles *m. pl.* furniture

meule *f.* haystack

meurtri bruised

miche *f.* loaf of bread

midi *m.* noon

Midi *m.* the South

miette *f.* crumb

mieux better; **le** ~ best

milieu *m.* middle
militaire military
mille (a) thousand
milliardaire *m.* billionaire
mince thin
mine *f.* appearance, face; **avoir bonne (mauvaise)** ~ to look well (poorly)
minuit *m.* midnight
se mirer to be reflected
misère *f.* privation
mobile changeable
modèle *m.* model
modelé *m.* modeling
modeste modest, humble, ordinary
modestie *f.* modesty
modifier to change
moindre least, slightest
moins less; **le** ~ least; **au (du)** ~ at least; **à** ~ **que** unless
mois *m.* month
moitié *f.* half
moment *m.* moment; **du** ~ **que** so long as
mondain interested in society
mondaine *f.* woman of fashion
monde *m.* world, people
monsieur *m.* gentleman
monstruosité *f.* monstrosity
monter to go up, mount, climb; **se** ~ to amount
montrer to show
se moquer de to make fun of
moqueu-r, -se derisive
moral (*pl.* moraux) moral, edifying
morceau *m.* piece
mordre to grip
mort *m.* dead person
mort *f.* death
mort dead

mot *m.* word; note
motif *m.* reason
mouchard *m.* informer
mourir to die; **se** ~ to die away
mousse *f.* moss
mouvement *m.* movement
moyen *m.* means, way
muet, -te dumb, silent
mugir to roar
mule *f.* slipper
mur *m.* wall
murmurer to murmur
musique *f.* music; band
mutisme *m.* silence
mystérieu-x, -se mysterious

naissance *f.* birth
naître to be born; **faire** ~ to arouse
nappe *f.* tablecloth
narquois sly
natal natal; **maison** ~ **e** birthplace
naturel, -le natural
ne: ~ ... **guère** hardly, scarcely; ~ ... **jamais** never; ~ ... **ni** ... **ni** neither ... nor; ~ ... **pas** not; ~ ... **personne** nobody, not anyone; ~ ... **plus** no more (longer); ~ ... **point** not at all; ~ ... **que** only, but; ~ ... **rien** nothing
né born
néanmoins nevertheless
négligence *f.* neglect
nègre *m.* Negro
neige *f.* snow
néo-Homérique neo-Homeric
neophyte *m.* neophyte (a recent convert)
net, -te clear
nettement clearly

neu-f, -ve new
neuf nine
nez *m.* nose
nier to deny
noir black; faire ~ to be dark
noirâtre blackish
noircir to blacken
nom *m.* name
nombre *m.* number
nombreu-x, -se numerous
nommé named
non no, not; ~ pas not; not at
   all; ~ plus either
nonchalamment casually
nord *m.* north
nord-ouest *m.* northwest
notaire *m.* notary
note *f.* bill; grade
notoriété *f.* general recognition
nouv-eau, -el, -elle new
nouvelle *f.* news
nu bare, naked; à ~ bare, showing
nuance *f.* shade, nice distinction
nuit *f.* night
nul *pron.* no one
nul, -le no, not one
nullement in no way

objet *m.* object
obliger to oblige; s' ~ to put
   oneself under obligation
obliquer to proceed obliquely
obscurci darkened
obscurément vaguely
obscurité *f.* obscurity, darkness
observat-eur, -rice observing
obstiné obstinate
occasion: à l' ~ now and then
occuper to occupy; s' ~ de to attend to, busy oneself with, con-
   cern oneself with

octobre *m.* October
odeur *f.* odor
odorant sweet-smelling
oeil *m.* eye; à l' ~ for nothing
oeuf *m.* egg
oeuvre *f.* work
officine *f.* hangout
offrir to offer
oie *f.* goose; pas *m.* de l' ~
   goose-step
oiseau *m.* bird
ombre *f.* shadow; d' ~ shadowy
on (l'on) one, they, people
oncle *m.* uncle
onde *f.* wave
ongle *m.* fingernail
onze eleven
opaque dark
opérer to perform
optimiste optimistic
or *m.* gold
or well, well then, now, now then
orageu-x, -se stormy, troubled
orbite *f.* socket
ordonnance *f.* order
ordonner to order
ordre *m.* order
ordures *f. pl.* filth
oreille *f.* ear
oreiller *m.* pillow
orgueil *m.* pride
orme *m.* elm
s'orthographier to be spelled
oser to dare
osseu-x, -se bony
ôter to take off, remove
ou or
où where
ouaté padded
oubli *m.* oversight
oublier to forget
oui yes

ouragan *m.* hurricane
outil *m.* tool
outre: en ~ besides
ouvert open
ouvrage *m.* work
ouvrier *m.* workman
ouvrir to open
ovale *m.* oval

paille *f.* straw
pain *m.* bread
paire *f.* pair
paisible peaceful
paix *f.* peace
pâli faded
palissade *f.* stockade
panique *f.* panic; **pris de** ~ panic-stricken
panneau *m.* panel
pantalon *m.* pair of breeches, or trousers
paperasses *f.* old papers
papetier *m.* stationer
papier *m.* paper
paquet *m.* package; splash
par by, through, in; ~ **-ci** here; ~ **-là** there
paraître to appear, seem
parapluie *m.* umbrella
parc *m.* park
parce que because
parcimonieu-x, -se frugal
pardessus *m.* overcoat
pardonner to pardon, forgive
pareil, -le such (a); alike; ~ **à** like
parent *m.* (*f.* **parente**) relative
paresseusement lazily
paresseux *m.* lazy fellow
parfait perfect
parfaitement perfectly, thoroughly

parfois sometimes, from time to time
parfum *m.* perfume, odor
parfumé perfumed
parisien, -ne Parisian
parler to speak
parmi among, amid
parole *f.* word; **manquer de** ~ to fail, let (someone) down
part *f.* side; **de la** ~ **de** from, on behalf of
participer (à) to share (in)
particuli-er, ère special
partir to go away
parures *f. pl.* jewels
parvenir (à) to arrive, reach; to come to
pas *m.* step, pace
pas: ne . . . ~ not; **non** ~ not; not at all
passage *m.* passing; crossing; court, alley (a passage-way between two streets, reserved for pedestrians)
passé *m.* past
passer to pass, spend; to hand; to slip on (a garment); ~ **sur** to overlook; **se** ~ to take place
passionné passionate
pathétique pathetic
patiemment patiently
patriarche *m.* patriarch
patte *f.* paw
pauvre poor
pavillon *m.* gate lodge
payer to pay
pays *m.* country, countryside
paysage *m.* landscape
paysan *m.* peasant
pécheur *m.* sinner
peignoir *m.* housecoat

peindre to paint

peine *f.* trouble, difficulty; **à ∼** scarcely; **faire de la ∼ à** to distress

peint painted

peintre *m.* painter

peinture *f.* painting

pelouse *f.* lawn

pencher to lean, tilt; **se ∼** to lean

pendant during, for; **∼ que** while

pendre to hang

pendu hanging

pénétrer to penetrate, enter

péniblement with difficulty

pensée *f.* thought

penser to think

perché perched

perdre to lose, waste, ruin

père *m.* father

péril *m.* danger

périodiquement periodically

perle *f.* pearl

permettre to permit

perplexe perplexed

perron *m.* flight of steps

personnage *m.* person

personne *f.* person; **ne ... ∼** no one; **vieille ∼** old lady

pervenche *f.* periwinkle

pesant lumbering

pester to storm

petit little, small

pétri (de) steeped (in)

pétrole *m.* kerosene (oil)

peu little; **∼ à ∼** little by little

peuh! pooh!

peuplier *m.* poplar

peur *f.* fear; **avoir ∼** to be afraid; **avoir grand'∼** to be very much afraid

peureusement fearfully

peut-être perhaps

philosophe *m.* philosopher

phrase *f.* sentence

physique physical

pièce *f.* piece, room; poem; play; **dix centimes ∼** ten centimes each (apiece)

pied *m.* foot; **à ∼** on foot

piège *m.* trap; **pris au ∼** caught in the trap

pierre *f.* stone

pierreu-x, -se rocky

piéton *m.* rural mail carrier

pieu-x, -se pious

pignon *m.* gable

se piquer de to pride oneself on

pire worse; **le ∼**

pitié *f.* pity

place *f.* place, location; square

placement *m.* investment

placide placid

plainti-f, -ve complaining

plaire to please; **se ∼ à** to delight in

plaisir *m.* pleasure

plant: ∼ nouveau *m.* sapling

planter to stick; to adjust; to plant, set, fix

plaque *f.* slab

plat *m.* dish

plat flat

plein full

pleurer to cry, weep

pli *m.* fold

plier to fold, bend

plissé puckered, wrinkled

plombé leaden

plongé plunged

pluie *f.* rain

plume *f.* pen

plumet *m.* ostrich plume

plupart *f.* majority, most

plus more; **non** ~ either; **il n'y a** ~ **que** one has only
poche *f.* pocket
poêle *m.* stove
poésie *f.* poetry
poète *m.* poet
poids *m.* weight
poignant heart-rending
poing *m.* fist; **coup** *m.* **de** ~ punch
point (*neg. with or without* ne) not (at all), none
poli polite
Polonaise *f.* Polish woman
pomme de terre *f.* potato
pomper to pump
pont *m.* bridge
popote *f.* cooking
port *m.* harbor
porte *f.* door; ~ **cochère** carriage entrance
porte-plume *m.* penholder
porter to carry, wear; **se** ~ **comme un charme** to be in perfect health
portraitiste *m.* portrait painter
poser to put, place, put down
poste *m.* post, position; forester's station
poste *f.* mail; **bureau** *m.* **de** ~ post office
poteau *m.* stake
pour for; to; as for; ~ **que** in order that
pourboire *m.* tip
pourquoi why
poursuivre to pursue
pourtant however, yet
poussée *f.* blast
pousser to push, urge
poussière *f.* dust
pouvoir to be able, can

pré *m.* meadow
préalable: au ~ to begin with
précieu-x, -se precious
se précipiter to rush forward
précisément precisely
préciser to state precisely
précision *f.* precision
premi-er, -ère first
prendre to take; **pris de panique** panic-stricken
préoccuper to preoccupy
préparatifs *m. pl.* preparations
préparer to prepare
près (de) near, nearly; with
prescrit prescribed
présent present; **à** ~ now
présenter to present
présider to preside over
presque almost
presser to press; **se** ~ to jostle
prêt ready
prétendre to claim
prêter to lend; to attribute
prétexte *m.* pretext, excuse
prétexter to allege (as a pretext)
prévenir to warn, tell, let know, inform
prévenu *m.* prisoner
prévoir to foresee
prier to beg, pray
primevère *f.* primrose
printemps *m.* spring
prisonnier *m.* prisoner
privé private
prix *m.* price, fee
procédé *m.* means of approach
prochain next
proche near
prodige *m.* miracle
prodiguer to lavish, bestow freely
produire to produce; **se** ~ to happen

professeur *m.* professor
profiter to benefit, take advantage
profond profound
profondément profoundly
proie *f.* prey; en ∼ à in the clutches of
projet *m.* project
prolongé prolonged
promenade *f.* walk
promener: se ∼ to walk, take a walk
promeneur *m.* hiker
promettre to promise
prononcer to pronounce, say, utter
propos *m.* remark
se proposer to intend
propriétaire *m.* owner, landlord
propriété *f.* property
prouesse *f.* exploit
prouver to prove
provocant provoking
provoquer to provoke
pseudonyme *m.* pen name
psitt! pst!
publiciste *m.* journalist
publier to publish
puis then
puisque since
punition *f.* punishment

qualité *f.* quality
quand when
quant à as for
quarante forty
quartier *m.* neighborhood, district, ward
quasiment almost
quatorze fourteen
quatre-vingts eighty
quatrième fourth
que *pron.* which, whom, that, what

que *conj.* that; when; than, as; ne . . . ∼ only
quel, -le what (a)
quelque some; *pl.* some, several, a few
quelquefois sometimes
quelqu'un (une), quelques-uns (unes) somebody, someone; some, a few
questionner to question
queue *f.* tail; à la ∼ leu leu in single file
qui who, whom, which, that
quiconque whoever, anyone at all
quincaillerie *f.* hardware
quincaillier *m.* hardware merchant
quinzaine *f.* fortnight
quinze fifteen
quitter to leave
quoi what
quoique although
quotidien, -ne daily
quotidiennement daily

rabais *m.* reduced price
raccommodage *m.* mending
raconter to relate
radieu-x, -se radiant
rafale *f.* wind
rafraîchi cool
se rafraîchir to take refreshment
rage: faire ∼ to rage
raie *f.* line
raisin *m.* grape; ∼ sec raisin
raison *f.* reason; avoir ∼ to be right
rajeunir to make young again
ramasser to pick up
rame *f.* ream
ramener to bring back

rancune *f.* ill feeling, resentment
rang *m.* rank, status, file
ranger to arrange; to keep
rapidement rapidly
se rappeler to recall
se rapprocher to draw near
rare unusual
rassis stale
rassurant reassuring
rassurer to reassure; **se ~** to set one's mind at rest
raté *m.* failure, "flop"
rattacher to attach, link
rauque hoarse
ravir to delight (one)
se raviser to change one's mind
réaliser to realize; **se ~** to be realized
réalité *f.* reality
rebrousser chemin to turn away
rebuter to discourage
récepteur *m.* receiver
recevoir to receive
recherche *f.* search; **à la ~** in search
réciproque mutual
récit *m.* tale
réciter to recite
recommencer to begin again
reconnaître to recognize
recopier to copy
se récrier to protest
recueil *m.* collection
recueillir to collect
reculer to draw back
rédaction: salle *f.* **de ~** *f.* editorial room
redescendre to descend again
redevenir to become again
rédiger to draft
redire to repeat
redouter to dread

redresser to straighten; **se ~** to straighten up again
réduit reduced
se refermer to close again
réfléchir to reflect
se réfugier to take refuge
refus *m.* refusal
refuser to refuse; **se ~ à** to refuse to; to decline, shrink from
regagner to get back to
regard *m.* glance
regarder to look (at), watch
regret *m.* regret; **à ~** with regret
regretter to regret, be sorry
régularité *f.* regularity
régulièrement regularly
rejoindre to catch up with, rejoin; **se ~** to meet
se réjouir to rejoice
reliefs *m. pl.* leavings (from the table)
relire to read over again
remarquer to notice
se remémorer to recall
remettre to hand over; to postpone; **se ~** to start again
remonter to go up (again); to date back; to pull up
remous *m.* swirling
remplaçant *m.* (*f.* **remplaçante**) successor
remplacer to replace
rencontrer to meet, encounter
rendez-vous *m.* appointment; **se donner ~** to arrange to meet
rendre to render, give, give back; **se ~ compte (de)** to realize
renoncer (à) to renounce, abandon, give up
renouveler to renew
renouvellement *m.* change

renseigner to inform; **se ~** to inquire
rente *f.* income
rentrer to re-enter, return (home)
renverser to upset
renvoyer to discharge
répandre to spread
reparaître to reappear
repartir to start out again
répéter to repeat; **se ~** to be re-
peated
répliquer to reply
répondre to answer
réponse *f.* reply
repos *m.* repose; **au ~** motionless
reposer to rest
repousser to spurn
reprendre to take back, regain, re-
capture; to resume
se représenter to picture to oneself
reproche *m.* reproach
reproduire to reproduce
république *f.* republic
répugner to be averse
résigner to resign
résister (à) to resist
résolu resolute
résolument resolutely
résonnance *f.* tone
respectueu-x, -se respectful
ressources *f. pl.* resources, means
ressusciter to revive
reste: du ~ besides
rester to remain
restreindre to limit
retard *m.* delay; **en ~** late
retenir to hold back, restrain
retentir to resound
se retirer to retire
retomber to fall back
retour *m.* return

retourner to return, go back; to
display; **se ~** to turn around;
s'en ~ to turn back
rétrograder to go back
retrousser to curl up
retrouver to find again, regain, get
back again to, go back to
réunir to assemble
réussir to succeed
revanche *f.* revenge
rêve *m.* dream
revêche cross
se réveiller to awake
revenant *m.* ghost
revenir to come back, return; **~
sur** to retrace; **~ à soi-même**
to recover oneself
rêver to dream
rêverie *f.* revery
revivre to come to life again
revoir to see again
se révolter to rebel
revue *f.* review
riant charming, cheerful
ricaner to sneer, chuckle
riche rich
richesse *f.* riches
ridé wrinkled
rideau *m.* curtain
rien nothing, not anything
rire *m.* laugh
rire to laugh
risquer to risk
robe *f.* dress
roi *m.* king
roman *m.* novel, story
romancier *m.* novelist
rompre to break
ronchonner to grumble
rond round
rosée *f.* dew
rosir to turn pink

rouge red
roulant swaying
rouquin *m.* redhead
rouquine *f.* red-haired girl
route *f.* road, highway; **en ~** on the way; **se mettre en ~** to start out
rou-x, -sse red
ruche *f.* beehive
rude rude, glaring
rue *f.* street
ruée *f.* blast
se ruer to rush
ruisseau *m.* brook, gutter
ruminer to be (too) introspective
ruse *f.* cunning
rythme *m.* rhythm

sabot *m.* wooden shoe
sage: bien ~ well behaved
saint blessed
saisir to seize
sale dirty
salle *f.* room; **~ à manger** dining room; **~ de rédaction** editorial room
salon *m.* living room; exhibition (of art); "at home"
salopette *f.* (pair of) overalls
salubre wholesome
salut *m.* greeting
samedi *m.* Saturday
sanglier *m.* wild boar
sanglot *m.* sob
sangloter to sob
sans without; **~ que** without
santé *f.* health
satané confounded
sauf except (for)
saumâtre brackish
savant learned
savoir to know; to be able

sculpté carved
seau *m.* pail
seconde *f.* second
secouer to shake
secousse *f.* shock
secret *m.* secrecy
sédentaire *m.* inactive person
séduisant alluring
Seigneur *m.* Lord
selon according to; **~ que** depending upon whether
semaine *f.* week
semblable such, similar
sembler to seem
sénat *m.* senate
sensation *f.* feeling
sensibilité *f.* feeling
sentier *m.* path
sentimentalité *f.* sentimentality
sentinelle *f.* sentinel
sentir to feel
séparer to separate
septembre *m.* September
sérénité *f.* serenity
sérieusement seriously
sérieux *m.* responsibility
sérieu-x, -se serious
serré constricted, clenched
serrer to press, clasp
servante *f.* servant, maid
servir to serve
seuil *m.* threshold
seul single, alone, only
seulement only, even
sévère austere
si *adv.* so
si yes (contradicting a negative statement)
siècle *m.* century
sifflement *m.* whistling
siffler to whistle
signaler to indicate, announce, call

signe *m.* sign
signer to sign
signification *f.* meaning
signifier to mean
silencieu-x, -se silent
simplement simply
sirop *m.* syrup
sitôt as soon; ~ guérie as soon
   as I am cured
situé situated
snob *m.* faddist
soeur *f.* sister
soie *f.* silk
soigner to take care of, care for
soigneusement carefully
soin *m.* care; avoir le ~ to take
   the trouble
soir *m.* evening; hier ~ last
   evening
soirée *f.* evening
soixante sixty
sol *m.* ground
soldat *m.* soldier
solder to sell off
soleil *m.* sun
solennel, -le solemn
solitaire solitary, lonely
sommeil *m.* sleep
sommet *m.* top
son *m.* sound
songe *m.* dream
songer to think, dream
songeu-r, -se thoughtful
sonner to ring (for), sound
sonore deep-toned
sort *m.* fate
sorte *f.* kind
sortie *f.* departure
sortir to go (come) out, emerge;
   to get out, pull out
sottise *f.* nonsense
sou *m.* penny, cent

soudain suddenly
souffler to blow (out), whisper,
   breathe heavily
souffrance *f.* suffering
souffrir to suffer
souhait *m.* desire, wish, hope, as-
   piration
souhaiter to desire, long to
soulagement *m.* relief
soulever to raise
soumettre to submit
soupçon *m.* suspicion
soupçonneu-x, -se suspicious
soupe *f.* soup
soupirer to sigh
sourcil *m.* eyebrow; froncer les
   ~s to frown
sourd deaf
souricière *f.* mouse trap
sourire *m.* smile
sourire to smile
souris *f.* mouse
sous under; in
souvenir *m.* memory, recollection
se souvenir de to remember
souvent often
spécialiste *m.* specialist
spécifier to specify
store *m.* window shade
stupeur *f.* stupor, amazement
stupide stupid
stupidement stupidly
suave fragrant
subit sudden
subitement suddenly
substituer to substitute
subtil subtle, penetrating
succéder to succeed
succès *m.* success
succulent tasty
sucer to suck
sucré sweet

sueur *f.* sweat
suffire to suffice
suffisant sufficient
suggérer to suggest
suie *f.* soot
suite *f.* coherence; **tout de** ~ immediately
suivant following
suivre to follow
supplier to implore
sur on, upon
sûr sure; **bien** ~ certainly
sûrement surely
surexciter to excite
surnaturel, -le supernatural
surprenant surprising
surpris surprised
surtout especially, above all
surveiller to look after, watch, inspect
survivre à to survive
susceptible touchy; capable
synthèse *f.* synthesis, composition

tableau *m.* picture
tablier *m.* apron, smock
tache *f.* stain
se taire to be (remain, become) silent
talus *m.* embankment
tambour *m.* drum
tandis que while, whereas
tanné tanned
tant (de) so much (many); ~ que so long as
tantôt soon; ~ ... ~ now ... now
taper to tap; ~ à la machine to type
tapis *m.* carpet, rug
tapisser to cover
tard late

tarder to be late; to wait
tarifé priced
tasse *f.* cup
tâter to feel
taverne *f.* tavern
teint *m.* complexion
tel, -le such
télégramme *m.* telegram
téléphoner to telephone
tellement so; ~ de so much
tempe *f.* temple
tempête *f.* tempest
temps *m.* time; des ~ infinis a long, long time
tendre to hold out; to tend
tendre *adj.* tender
tendresse *f.* affection
tendu stretched, outstretched
tenir to hold; se ~ to stand
tentation *f.* temptation
tenter to try
terme *m.* rent
terni tarnished
terre *f.* earth
terrifiant terrifying
tête *f.* head; en ~ à ~ intimate
têtu stubborn
texte *m.* text, manuscript
thé-bridge *m.* bridge tea
tic *m.* spasmodic twitching
tiens! look! say!
tiers *m.* third, third person
tilleul *m.* linden tree
timbré stamped
timbre-poste *m.* postage stamp
timide timid
tirage *m.* printing
tirer to draw, pull, derive
tiroir *m.* drawer; ~ -caisse cash drawer
titre *m.* title
toile *f.* canvas

toit *m.* roof

tombant falling; early

tomber to fall (off), to land; **se laisser** ~ to drop, fall, sink

tombereau *m.* dump-cart

ton *m.* tone

tonner to thunder

tôt soon

totalement entirely

toucher to touch; ~ **juste** to strike it right

touffu leafy

toujours always, yet, still

tour *m.* turn, tour, trick; **faire un** ~ to take a stroll

tourbillonner to whirl, swirl

tourment *m.* torment

tourmente *f.* storm

tournée *f.* rounds

se tourner to turn

tout, -e, tous, toutes *adj. and pron.* all, every, any; everything; **tous (les) deux** both

tout *adv.* quite, entirely; ~ **à coup** suddenly; ~ **à l'heure** just now; ~ **de même** just the same; ~ **de suite** immediately

trahir to betray

trahison *f.* treason

train *m.* noise; **faire du** ~ to raise a fuss

traîner to drag, take along; to lie about

trait *m.* feature

traître *m.* traitor

tram *m.* trolley car

tranquille clear, easy

tranquillement quietly

transformer to transform, change

transporté overcome

traqué tracked, hunted

travail *m.* work, job

travailler to work

travers: à ~ through, across

traverser to cross

tremblant trembling

trembler to tremble, fear

trembloter to quiver

trempé rain-drenched

tremper to dip, soak

trente thirty

très very

tressaillir to shudder, tremble

tribunal *m.* court

trimardeur *m.* tramp

trinquer to take a glass of wine

triomphant triumphant

triomphe *m.* triumph

triompher to triumph

triste sad, dreary (looking)

tristement sadly

tristesse *f.* sadness, regret

troisième third

tromper to deceive, be untrue to; **se** ~ to be mistaken

tronc *m.* trunk

trop (de) too, too much (many)

trotter to trot

trottiner to jog along

trottoir *m.* sidewalk

trou *m.* hole

trouble bleary

troublé troubled, disturbed, disconcerted

troupe *f.* detachment (of troops)

trouver to find; **se** ~ to be

truc *m.* trick

tuer to kill

tuyau *m.* pipe

ulcéré embittered

ultérieur later

uniquement exclusively

univers *m.* universe

usage *m.* use; à l'~ de for the use of

usé dim

usine *f.* factory

utile useful

vacances *f. pl.* vacation

vacarme *m.* racket

vache *f.* cow

vaisselle *f.* dishes

valet de chambre *m.* manservant

valeur *f.* value, merit; **mettre en** ~ to make the most of

vallée *f.* valley

valoir to be worth

vaniteu-x, -se vain

vaste large

veille *f.* evening (day) before, eve

veillée *f.* night watch

vendeuse *f.* salesgirl, clerk

vendre to sell

vendredi *m.* Friday

vengeance *f.* vengeance, act of retaliation

se venger to be revenged

venir to come; ~ de + *pres. inf.* to have just + *past part.*

vent *m.* wind

ventru potbellied

verdure *f.* verdure, greenness

verger *m.* orchard

vérificateur *m.* inspector

vérité *f.* truth; à la ~ as a matter of fact

vermoulu worm-eaten

vernissage *m.* private advance showing (of an art exhibition)

verre *m.* glass

verrou *m.* bolt; **mettre le** ~ to bolt the door

vers *m.* verse

vers toward, about

verser to pour, shed

vert green

veste *f.* jacket

veston *m.* jacket

vêtement *m.* garment

vêtir to dress

vêtu dressed

vibrer to thrill

victoire *f.* victory

vide empty

vider to empty; se ~ to become empty

vie *f.* life

vieillard *m.* old man

vieillir to grow old

vieux, vieil, vieille old; **mon vieux** old man, old fellow

vi-f, -ve lively, keen, great

ville *f.* town, city; **en** ~ in (into) town

vin *m.* wine

vingt twenty

violemment violently

virer to turn

visage *m.* face

visite *f.* visit

visiter to visit

visiteur *m.* visitor

vite quickly

vitraux *m. pl.* stained glass windows

vitre *f.* window pane

vitrine *f.* shop window

vivre to live

voici here is (are)

voilà there is (are)

voir to see; **voyons!** let us see! come, come!

voisin *m.* neighbor

voisin near, neighboring

voiture *f.* carriage, car; ~ **à bras** pushcart

voix *f.* voice; **à ~ basse** in a low voice; **à demi- ~** in a low voice; **à haute ~** out loud

vol *m.* flight; **au ~** on the wing, by chance

voler to steal

volet *m.* shutter

voleur *m.* thief

volonté *f.* will

volontiers willingly

vomir to vomit

vouloir to wish, will; **~ bien** to be willing; **~ dire** to mean; **en ~ à** to be angry with, hold it against

voyage *m.* trip

voyager to travel

voyageur *m.* traveler

vrai true; **à ~ dire** to tell the truth

vraiment truly, really

yeux (*pl. of* **oeil**) eyes

zèle *m.* zeal

zigzaguer to zigzag

G H I J K L M N O 0 6 9 8 7 6 5 4 3

PRINTED IN THE UNITED STATES OF AMERICA